激光点火原理与实践

项仕标 著

黄河水利出版社

内 容 提 要

本书主要分析、讨论激光与含能材料相互作用原理、应用、实验设计、数值计算方法以及系统安全可靠性问题等。其主要内容包括：激光对含能材料作用特性；含能材料的热点火理论；激光点火实验方法；影响含能材料点火的因素分析；激光点火装置设计与试验、激光点火的数值计算方法、激光点火药剂及火工品的感度研究和系统安全可靠性分析等。本书可供相关专业的科技人员、高等院校师生等阅读和参考。

图书在版编目（CIP）数据

激光点火原理与实践／项仕标著.—郑州：黄河水利出版社，2004.8
ISBN 7‑80621‑811‑4

Ⅰ.激… Ⅱ.项… Ⅲ.激光－点火－研究 Ⅳ.TQ038.1

中国版本图书馆 CIP 数据核字（2004）第 082514 号

策划编辑：王路平 ☎ 0371‑6022212 E-mail：wlp@yrcp.com

─────────────────────────────

出 版 社：黄河水利出版社
　　地址：河南省郑州市金水路 11 号　　邮政编码：450003
发行单位：黄河水利出版社
　　发行部电话及传真：0371‑6022620
　　E-mail:yrcp@public.zz.ha.cn
承印单位：黄河水利委员会印刷厂
开本：850 mm×1 168 mm　1／32
印张：7.75
字数：200 千字　　　　　　印数：1—1 200
版次：2004 年 8 月第 1 版　　印次：2004 年 8 月第 1 次印刷

书号：ISBN 7‑80621‑811‑4／TQ·2　　　定价：20.00 元

前　言

　　激光与含能材料作用原理及实验研究具有重要的理论和应用价值。激光引燃、引爆含能材料即激光点火作为一项综合性的激光应用高新技术，不仅在航空、航天和军事等领域有着重要的应用价值和广阔的发展前景，而且已经开始进入工农业生产和科学技术的其他领域。用深入浅出的语言向读者阐述激光与含能材料相互作用的理论、实践及其应用，介绍作者及同行专家、学者在该领域所开展的工作，从而为进一步推进此项研究、发展此项事业贡献作者的微薄之力，是撰写本书的出发点和目的。

　　本书是作者在国内外长期学习和从事研究工作的积淀与结晶。本书的撰写和作者的研究工作的顺利完成得益于该领域著名专家冯长根教授、博士的指导，得益于国防重点预研项目等课题的资助，得益于作者所在的课题组和中国工程物理研究院、北京理工大学等单位的大力支持与热情帮助，得益于汪佩兰教授、严楠教授等专家所提供的颇具价值的文献资料。在此，作者谨向各位专家、各有关单位致以深深的敬意和感谢！

　　由于作者水平所限，书中错误和不当之处恐在所难免，恳请读者指正。

作　者

2004 年 1 月

目　录

绪　言

研究激光与含能材料相互作用的一个重要背景是激光点火。

激光点火是指用激光能量引燃或引爆含能材料。与传统的点火方式——电桥丝点火相比，激光点火的显著优点是抗电磁干扰能力强，从而大大提高了系统的安全性。同时由于其点火的能量大、一致性好，因此可靠性也大大提高。

武器等系统的安全性和可靠性是武器等系统最重要的性能指标之一。随着战场等环境的恶化，安全性和可靠性在对武器等的性能要求中占据了越来越突出的地位。传统的导弹、火箭的发射和做功系统的点火装置，大部分采用的是桥丝式电点火器，已不能适应现代武器等系统的使用环境，特别是电磁(射频、静电、高空电磁脉冲、闪电、杂散电流)环境。因此，对点火系统的药剂提出了钝感化的要求，与此相应，要求这类药剂的点火采用高能量或高功率密度激发的方式，应运而生的有冲击波点火、爆炸桥丝、半导体桥和爆炸逻辑网络等激发方式，激光点火也是其中的一种。

世界上第一台激光器——红宝石激光器于1960年研制成功[1]。到20世纪60年代中叶，便有了激光点火的设想和研究[2, 3]；70年代中期以后，国内、外有关激光点火技术与理论的研究不断深化和发展，取得了显著的成果。

早期激光点火使用的激光器主要有气体激光器(如 CO_2 激光器)和固体激光器(如 Nd：YAG 激光器)等，这类激光器可以有较大的功率输出，但装置一般比较庞大和笨重。随着半导体激光器的问世和光纤耦合技术的发展，人们把目光投向了激光二极管点火。

激光二极管是一种以电流激励的半导体激光器。激光二极管点火是指以激光二极管为能源，利用光纤传输能量给点火药剂，使之引燃或引爆。激光二极管点火除了具有安全、可靠、抗电磁干扰能力强等优点之外，还存在以下优点：

(1)激光二极管系统具有较小的体积和质量，有利于小型化。

(2)可以实现低电压、低电能输入，环境适应性强。

(3)使用激光二极管阵列可输出多路激光信号，通过对信号的时间和顺序的选择，可控制多点点火，特别适合于导弹、火箭的发射和做功系统。

因此，发展激光二极管点火技术对提高武器系统的战场生存能力具有重要意义。

我国从1967年开始激光点火的研究[4, 5]。中国工程物理研究院西南流体物理研究所、兵器工业部第二一三研究所、北京理工大学、南京理工大学、中国航天科技集团等在激光点火研究领域开展了卓有成效的工作。早期的工作主要侧重于激光引爆炸药的实验研究，之后在激光点燃烟火药、激光感度实验、激光点火机理与过程、激光点火的数值模拟、激光点火系统的安全可靠性分析等方面进行了不同层次、不同方向的研究。如孙承纬等人[6]使用输出能量为10 J，脉宽分别为60、80、200 ns的Q开关钕玻璃激光器对PbN_6、PETN、RDX等进行了激光引爆实验，测定了临界点火参数，并观察了掺锆PETN的爆轰建立过程，同时研究了激光参数和装药参数对点火的影响；唐贤忠[7]建立了激光引爆炸药的实验装置，使用脉宽为160 ns，峰值功率为170 MW，输出能量为40~50 J的调Q激光器，着重对激光能量、激光波形以及爆轰参数的测定进行了研究；王作妮[8]通过实验分析总结了降低猛炸药激光引爆能量的方法；陈旦鸣[9]研究了不同掺杂对PETN起爆阈值能量的影响，发现在PETN中分别掺入少量钛、锆、钼、铝或镍，可以不同程度地降低起爆阈值能量，其中效果最为明显的是掺锆的 PETN，它的起爆阈值能量仅为 71 mJ，而纯 PETN 的起爆阈值能量为 200 mJ；闫大鹏等[10]实验研究了小型脉冲 YAG 激光器引爆或引燃起爆药的可能性，比较了激光器在调 Q 和自由振荡两种工作状态下的点火效果。实验研究发现，当泵浦电压降低到一定值时，调 Q 工作方式的脉冲 YAG 激光器不能引爆或引燃起爆药，而自由振荡方式的脉冲 YAG 激光器能引燃起爆药。根据这一结果以及热起爆机理，提出了引爆或引燃药剂所需激光能量密度的判据，并采用外调制序列脉冲激光光源作为探测光源，大口径长程 F-P 干涉仪作为流场显示仪，扫描式高速摄影仪作为记录装置，获得了激光引爆起爆药爆轰流场的时间序列干涉图和激光引燃起爆药的燃烧温度场时间序列干涉图，并从爆轰流场的时间序列干涉图中定量计算了冲击波传播的速度；冯长根[11~13]运用热爆炸理论和热点火理论研究了强光起爆问题，并采用不同数学方法对强光起爆的临界条件进行了数值计算，编制了极具应用价值的计算程序，获得了一系列重要的结论；张忠珍[14]等对 PETN 炸药的激光引爆过程进行了模拟研究，分别讨论了激光波形和窗口厚度对点火的影响，提出了当激光功率密度在 $1 \times 10^6 \sim 1 \times 10^8 \ W / cm^2$ 时，PETN 的引爆机制主要为热机制的观点，并认为炸药受热膨胀是激光能量损耗的主要因素之一；鲁建存[15~17]从理论上分析了激光起爆过程，计算了两种起爆药的临界发火能量，并设计了激光起爆器，选取四氮烯与羧甲基纤维素氮化铅共沉淀混合药并掺入 3%胶体石墨作为起爆药，进行临界发火能量和环境性能实验，并实验测定了斯蒂酚酸铅等 5 种起爆药的激光反射率和激光点火感度；孙同举[18]等运用光声检测等实验手段和数值计算等方法，着重研究了烟火药 B / KNO$_3$ 的激光点火特性，通过实验观察记录了 B / KNO$_3$ 在激光点火过程中的二次发火现象，讨论了其产生的机理，并将激光点火过程划分为 3 个阶段；沈瑞琪[19]等用脉宽 337 μs、能量为 0.371 J 的 YAG 脉冲激光引发叠氮化铅的分解反应，通过测试分解过程的声效应研究叠氮化铅的分解过程，实验结果表明，叠氮化铅的分解过程由 3 个阶段构成：初始分解反应(放热过程)、活化反应(吸热过程)和最终反应(放热过程)；程国元、赵家玉等人[20~23]也分别在激光引爆炸药机理、激光感度测试方法等方面做了许多研究工作。

国外从 20 世纪 60 年代中期开始了对激光点火的研究。到 70 年代中期，美国喷气推进实验室(JPL)已研制出适用于激光点火系统的小型钕玻璃脉冲激光器，该系统装置的外形尺寸为 5.1 cm×7.6 cm×12.7 cm，重 0.7 kg，1 ms 脉冲能量输出为 2.8 J；还研制出尺寸为 9.5 cm×15.8 cm×33 cm，重 6.2 kg 的小型 Q 开关钕玻璃激光器，其 20 ms 脉冲的最大输出为 60 J[24]。进入 80 年代以后，激光器的进一步发展以及低衰减(每千米几个分贝)光导纤维的发展，使激光点火进入了实用阶段。美空军在小型洲际弹道导弹(ICBM)、F16A 战斗机和新型空—空导弹(AAAM)的点火系统中分别使用了 Nd：GSGG 激光器和两种不同型号的 Nd：YAG 激光器，其输出能量分别为 300、600 mJ 和 4 000 mJ，脉冲宽度分别为 1、2 ms 和 10 ms。McDonnell Douglas 导弹系统公司(MDMSL)也成功地研制出了用于新型空—空导弹（AAAM）的激光点火系统[25]。在常规武器的应用方面，美国海军军械部开发了激光起爆能量转换分系统[26]。注意到在激光点火技术发展的早期和中期，激光点火的实验研究和应用研究所使用的激光器主要是 Nd：YAG、Nd：GSGG、钕玻璃激光器和 CO_2 激光器等[27~33]。这类激光器的特点是输出功率或能量较高、光发散角较小、寿命长、价格低。但明显的缺点是能量效率低，其输出光能与输入电能之比一般仅在 3%以下，而且体积和重量都偏大。激光二极管的问世和激光二极管点火技术的诞生，使激光点火的研究和发展进入了一个新的阶段。

激光二极管点火的实验研究是从 20 世纪 80 年代中期[34~52]开

始的。D.W.Ewick、S.C.Kunz 、D.P.Kramer、R.G.Jungst、J.A.Merson、M.W.Glass 以及 Nils.B.M.Roman 等人在激光二极管点火研究领域做出了较出色的工作，其中最早发表有关研究文献的是 D.W.Ewick（1988）和 S.C.Kunz（1988）。

同其他点火技术一样，激光点火技术研究的核心与宗旨是安全、可靠和实用。由于"钝感"点火材料的出现，意外偶然触发点火的可能性大大降低，也就是说只有当作用于含能材料的能量足够大时，点火才可以实现。它一方面要求研制高功率的激光二极管，以保证足够的能量输出；另一方面，在激光二极管功率有限的情况下，要求尽可能地减少损耗，提高激光能量的利用率，以有效实现点火。应用于航空、航天等领域的激光二极管点火系统还需要有灵敏、可靠的控制与保险系统，小的体积与重量以及在飞行与加速环境下良好的工作特性等。可见，激光二极管点火技术涉及到多学科、多领域。围绕上述问题，国外对激光二极管点火进行了若干研究，主要概括为以下几个方面。

1 激光二极管技术

激光二极管点火首先对激光二极管的功率、波长及性能提出了要求。美国 Bickford 航天公司为航天飞机设计的激光二极管发火单元的指标要求[53]是：光纤输出功率 2.5 W，激光波长 850 nm，光纤芯径 200 μm，使用 28 V 直流电源；整个装置重 1.5 lb（1 lb=0.454 kg），体积为 40 in^3（1 in=2.54×10^{-2} m）。Spectra 公司首先制造了 AlGaAs 激光二极管，通过 100 μm 芯径的光纤输出波长为 820 nm、功率为 1 W 的激光，并被用于起爆 HMX。如今，采用多异质结、量子阱及二极管列阵等技术工艺，新一代激光二极管的功率及特性已能较好地满足点火及实用的要求。

对激光波长的要求主要是基于对含能材料点火机理的考虑[54]。点火过程往往包含热效应、电磁效应、光化学反应等多种复杂的作用。不同的含能材料对不同波长的激光具有不同的吸收效果，因而表现出不同的激光感度。一般材料对红外光有较好的吸收，而导致材料分子一次性光解的激光波长大多在紫外波段。用于点火的激光二极管工作波长一般在 820 nm 附近；脉宽从几十微秒到几百毫秒，并有单次脉冲和连续输出的功能；光纤输出功率一般在 1 W 以上。同时，良好的温度特性及较强的环境适应能力等也是激光二极管技术水平的重要指标。

2 光纤及光纤耦合技术

光纤作为传输激光的载体在激光二极管点火中具有举足轻重的作用。光纤材料应具有良好的光学特性、机械性能与温度特性。目前使用较多的是用石英玻璃材料制造的光纤，分为阶跃折射率分布光纤和渐变折射率分布光纤两种。在阶跃折射率分布光纤中，纤芯的折射率是常数；而在渐变折射率分布的光纤中，纤芯折射率由光纤轴心沿径向向外逐渐减少。由于渐变折射率分布的光纤具有自聚焦特性，因而输出的光束在光轴附近有更高的能量密度。所以，使用渐变折射率分布的光纤，可以提高激光功率密度。理论分析与实验结果表明，提高激光功率密度对激光二极管点火具有十分有利的作用。也就是说，使用小直径、低衰减、小数值孔径、渐变折射率分布的光纤更有利于激光二极管点火。D.W.Ewick 等人在 Ti / KClO$_4$ 和 CP / 碳黑的激光二极管点火实验中，使用渐变折射率分布光纤时的点火阈值能量比使用阶跃折射率分布光纤时的要下降约 30%。目前，激光二极管点火所使用的光纤指标一般是：芯径 d =100 ~ 200 μm，数值孔径 NA<0.3，每千米衰减 dB_{km}<3 dB，光纤输出激光功率 $P \geqslant 1$ W。

光纤端面质量包括光纤端面是否与轴线垂直、光纤端面的平整度和清洁度等，对激光传输的影响很大。表面缺陷和污染不仅会降低传输效率，而且在较高功率密度的情况下还会导致局部强电场和高热应力，造成光纤损伤。因此，对光纤端面的清洁和抛光也是光纤技术研究的一项内容。D.W.Ewick 等采用特制的光学纤维抛光器将光纤端面抛光，并用 400 倍显微镜进行直观检查，以鉴定抛光的质量。

光纤除了具有传输能量作用，还具有耦合作用及分束作用。首先，光纤耦合技术应用在光纤同激光二极管之间的耦合上。激光二极管发出的是椭圆形的发散光，需要置入合适的会聚透镜以有效地将激光耦合进输出光纤中。由于激光二极管点火使用的光纤芯径较小，使得耦合的难度大大增加，此处的耦合损失甚至高达 5 dB 以上。显然，提高这里的耦合效率是一项重要技术。其次，光纤耦合技术是光纤与光纤之间的耦合，它包括单光纤与单光纤（单进单出）、单光纤与多光纤（单进多出）耦合两种情况，后者在激光二极管多点点火中是必不可少的[55]。光纤间的耦合通过连接器及转接器实现。为减少耦合损失，必须提高准直、紧配合及固定密封技术。瑞典国防研究局的 Nils B.M.Roman 在激光二极管点火实验中采用的 STC 连接器，将芯径 100 μm、外径 140 μm 的光进光纤和光出光纤相连，其衰减为 0.56 dB，插孔直径为 144 μm，工作温度在 –40～80℃，属于低衰减、易操作、性能较好的连接器。

光纤同点火药之间的耦合技术也是研究内容之一。美国 Mound 应用技术研究所的 D.P.Kramer 等人研制了两种元件，即光纤脚元件和光学窗口元件，以解决点火光纤与点火药之间的耦合，使得激光二极管点火系统在操作上更方便、更实用。光纤脚元件或光学窗口元件既要满足一定机械强度的要求，又要尽可能减少由此带来的能量损失。高强度光纤脚元件是将一段短光纤在高温下封接在金属壳内的玻璃预型件中，然后将两端抛光，其优点是光纤截面小、机械强度高，同时光纤本身具有波导作用，传输质量高；其缺点是由于表面反射或不准直而带来能量衰减。光学窗口元件则是位于点火光纤与点火药之间的玻璃等材料制成的透明固体，其优点是受不准直的影响很小，但窗口材料会吸收光并使光束发散，造成激光功率密度减小。选择合适的材料和窗口厚度及通过会聚等方法，可以减少上述损失。Mound 研究所比较了蓝宝石玻璃和 P 玻璃两种材料的窗口，当窗口厚度均为 0.4 mm 时，使用蓝宝石玻璃作为窗口材料，得到掺杂碳黑 CP 药的点火能量为 3.4 mJ，使用 P 玻璃作为窗口材料，点火能量则为 2.3 mJ，而无窗口时的点火能量为 1.6 mJ。与蓝宝石玻璃窗口相比，P 玻璃窗口因具有较小的热导率和较小的折射率而效果更好。

3 测试技术

激光二极管点火测试技术包括：测定激光二极管的输出功率、能量、波长、脉宽、波形；光纤的传输性能参数，如数值孔径、衰减因子；含能材料的表面反射率和吸收系数；激光发出信号和药剂燃烧爆炸发光信号的采集以及药剂的激光二极管点火感度等。

D.W.Ewick 对 $TiH_{0.65}$ / $KClO_4$、$TiH_{1.65}$ / $KClO_4$、BCTK（硼 / 铬酸钙 / 钛 / 高氯酸钾）、Ti / $KClO_4$、B / $KClO_4$ 等烟火药和 CP、HMX 等炸药进行了激光二极管点火实验，得到了上述药剂激光二极管点火的阈值能量；D.P.Kramer 通过激光二极管点火实验，测定了斯蒂酚酸钡、HMX、CP、HNS、BCTK、Ti / $KClO_4$ 和锆 / 高氯酸钾 / 石墨 / 氟橡胶等的阈值点火能量；Nils B.M.Roman、R.G.Jungst 以及 W.J.Kass[56]等人也分别做了类似的点火实验。

药剂表面对激光的反射特性和吸收特性是影响感度的一个重要因素。D.W.Ewick 运用光声光谱方法分析和比较了纯 HMX 和 HMX / 石墨或 HMX / 碳黑混合物的吸收光谱，发现加入适量碳黑的 HMX 比纯 HMX 对激光的吸收要强；R.D.Skocypec 等人用实验方法测定了纯 CP、CP / 碳黑及 CP / 石墨的吸收系数、反射系数以及散射因子并加以比较，从中获取了重要信息和结论。

光纤传输系统引起的激光能量的衰减是激光二极管点火中必须考虑的问题之一。M. Bahrain[57]和 Nils B.M.Roman 分别研究并测定了光纤连接器以及光纤本身造成的能量衰减，同时设计、制作了低衰减的光纤连接器，使光纤接头处的耦合衰减控制在 0.5 dB 左右。

W.J.Kass 等人对光纤长度衰减和耦合衰减、输出激光的频谱、激光二极管的温度特性以及安全性能等做了分析与测试。实验使用的激光二极管是 AlGaAs 半导体量子阱器件，光纤输出最大功率约 1 W。测得激光频谱范围在 800 ~ 850 nm。关于激光二极管温度特性的实验结果表明，环境温度的变化对激光二极管的输出功率有明显影响：当驱动电流（1.5 A）相同时，室温下激光二极管光纤输出激光功率为 0.8 W，而在 75℃下输出功率减小到 0.6 W。为研究光纤接头的温度特性，在– 55 ~ 100℃的多次循环测试中发现，最初的两个循环中传输激光能量呈现衰减态势，之后传输能量在高低温度值之间振荡。另外，还设计了模拟人体电火花，对激光二极管进行静电泄放试验，以检验激光二极管系统的安全性，考察激光二极管点火系统的抗静电能力。试验结果发现，当静电泄放电压从 10 kV 上升到 25 kV 时，静电电流从 60 A 上升到 140 A，激光输出峰值功率达 25 W。但由于静电泄放的时间历程很短（1 μs 以下），功率对时间的积分，即由静电感应引起的激光二极管输出的激光能量仅为 3 ~ 5 μJ，远远低于含能材料的临界激光点火能量。从而验证了激光二极管点火系统的安全性。

4 掺杂技术

采用掺杂技术是增加含能材料激光感度的重要手段。在材料中加入石墨、碳黑等物质可以增加材料对光的吸收，从而降低材料的激光二极管点火能量阈值，提高材料的激光感度。D.W.Ewick

和 C.M.Woods 等[58]对掺杂 CP 药和未掺杂 CP 药的激光二极管点火表明，未掺杂 CP 药的点火阈值能量为 4.05 mJ，而掺杂 0.2%和 0.8%碳黑 CP 药点火能量阈值则分别为 1.94 mJ 和 1.40 mJ，掺杂 HMX 的点火实验也得到了类似的结果。

然而过量的掺杂反而会影响含能材料的组分结构，降低含能材料的能量密度，并造成能量在掺杂物上过多的消耗，而使材料的激光感度下降。R.G.Jungst 等人对掺碳黑 CP 药进行了激光二极管点火实验，结果表明，当碳黑浓度增大到 0.7%时，CP 药的点火能量阈值降低至最小；此后，随着碳黑浓度的增加，CP 药的点火能量阈值又增大。而对 Ti / KClO$_4$ 而言，药剂点火的阈值能量并无明显的降低。对于激光波长和点火药均确定的情况，如何选择合适的掺杂物及其颗粒形状、颗粒度和含量，有效地增加含能材料对光的吸收，提高材料的激光感度，同时又不削弱含能材料的安定性和输出的总能量，是激光二极管点火技术领域的一个颇具价值的课题。

5 激光二极管点火的数值模拟

在进行激光二极管点火实验研究的同时，相关的理论分析与数值模拟工作也有一定进展。D.W.Ewick 利用有限差分模拟方法求解与时间有关的热传导受控方程模拟药剂激光二极管的点火特性，并用该模型计算了 Ti / KClO$_4$ 和碳黑 CP 混合物在不同激光功率水平上的点火时间。D.W.Ewick 还进一步运用二维有限差分方法模拟激光二极管点火元件的特性，并对 HMX / 碳黑混合物做了计算，用模拟方法预测了激光束直径大小、激光脉宽以及温度等因素对 HMX / 碳黑点火的影响，并同实验结果进行了对比。

作为一项综合性的、激光应用的高新技术，激光点火在航空、航天和军事等领域有着较为广阔的应用前景。本书从激光特性和光的波粒二象性出发，根据电动力学、激光物理学、激光化学和量子力学等基本理论，分析激光与含能材料相互作用的形式、特点与规律。通过对激光与含能材料的热作用、冲击作用、电磁作用和光化学作用的分析与计算，探讨含能材料激光点火的各种机理以及所具备的条件；结合激光二极管点火的特殊性，论证激光二极管点火机理类型；并在此基础上，分析推导含能材料点火的阈值能量和阈值功率，从理论上阐明激光功率密度对激光二极管点火的重要影响和作用。同时，本书阐述了激光点火实验装置和测试系统，分析了 $Zr / KClO_4$ 等一系列含能材料的激光点火实验数据，讨论了含能材料粒度、密度、配比、掺杂以及激光强度(激光功率密度)、激光波长等因素在激光点火中的影响、作用和规律。并从含能材料激光点火的热作用机理出发，根据热平衡方程和边界条件，对给定含能材料在一定的环境条件下的激光点火的临界参数进行了数值计算。最后，从激光点火系统的安全可靠性这一重大问题出发，对含能材料及火工品的感度、系统安全可靠性设计与评价方法等，做了较深入的分析。本书所提供的理论分析、数值计算、实验方法及结果等将给读者以有益的启示和有价值的参考。

第1章　激光对含能材料作用特性

1.1　激光特性

激光与普通光的根本区别在于激光具有很高的光子简并度[59]。所谓光子简并度，就是具有相同模式（或波型）的光子数目。激光的这一本质属性是由激光器的结构和工作原理决定的。激光器一般由增益介质和谐振腔组成，二者相辅相成，实现选模和光的放大，从而形成具有高光子简并度的光。高光子简并度的光表现出很好的单色性、方向性、相干性以及高亮度。同时，它在光子统计学中不像普通光那样遵从玻色–爱因斯坦（Bose–Einstein）统计分布，而是遵从泊松（Poisson）统计分布。激光特性可从如下几个方面进行概述。

1.1.1　单色性

光的单色性通常用光的频谱分布描述，或者说可以用线宽这一物理量来衡量一条谱线单色性的好坏。普通光源发出的光都有较大的线宽。例如，在激光出现之前曾被选为长度基准的 Kr^{86} 放电灯发出的 605.7 nm 谱线，其线宽与波长的比值 $\Delta\lambda / \lambda$ 为 8×10^{-7}。而一台一般的稳频 He-Ne 激光器发射的 632.8 nm 谱线，其线宽与波长的比值 $\Delta\lambda / \lambda$ 可达 1.6×10^{-11}。对于 He-Ne 激光的 3.39 μm 线，则 $\Delta\lambda / \lambda$ 为 1.0×10^{-13}。激光的单色性好是因为谐振腔中受激辐射几乎无衰减，即使如此，激光仍具有一定的线宽，这主要是由于无法根除的自发辐射所致。

1.1.2 方向性

光源发出光束的方向性通常用发散角 2θ (弧度)来描述,如图 1-1 所示,也可以用光束所占的空间立体角 $\Delta\Omega$ 来描述。普通光源发射的光束来自自发发射,而自发发射总是向 4π 立体角发射的,所以其方向性很差。激光则不然,由于激光器中增益介质只向特定模式提供能量,受激发射提供的光子总是与入射光有相同的频率、相位、偏振及传播方向。如果谐振腔选出的模不受衍射的影响,激光束的发散角可以无限小。事实上,一般激光器的发散角都接近于该激光器出射孔径所决定的衍射极限,即

$$2\theta = \frac{\lambda}{d} \tag{1-1}$$

式中　λ ——激光波长;

　　　d ——出射孔径。

对于一台单模 He-Ne 激光器,其激光束的发散角 2θ 可以小到 10^{-3} rad 左右,所占空间立体角 $\Delta\Omega$ 大约为 10^{-6}。

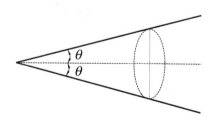

图 1-1　光束发散角示意图

1.1.3 相干性

相干性通常用来描述光源发出的光产生稳定干涉的难易程度。相干性可用"相干体积"来表征。相干体积则是指空间体积为 V 的各点的光场具有明显的相干性。相干体积可表示为

$$V = AL_c = Ac\tau_c \tag{1-2}$$

式中　A——垂直于传播方向上的相干面积；

　　　L_c——传播方向上的相干长度；

　　　c——光速；

　　　τ_c——相干时间，$\tau_c = L_c / c$。

相干时间 τ_c 可由下式计算：

$$\tau_c = \frac{1}{c}\frac{\lambda^2}{\Delta\lambda} = \frac{1}{\Delta\nu} \tag{1-3}$$

式中　λ——光的波长；

　　　$\Delta\lambda$——线宽；

　　　$\Delta\nu$——以频率表示的线宽。

不难看出，由于激光具有极好的单色性，其相干时间远远大于普通光源的相干时间。如 Kr^{86} 灯在低温下发出的 605.7 nm 谱线，其相干时间 τ_c 约为 2.5×10^{-9} s，相应的相干长度 L_c 为 75 cm；对于一台稳频单模 He-Ne 激光器发射的 632.8 nm 谱线，其相干时间 τ_c 可达 1.3×10^{-4} s，相应的相干长度 L_c 为 4×10^6 cm。激光的单色性和方向性，使之具有一般光源无法比拟的时间相干性和空间相干性。

1.1.4　高亮度

光源发光产生的单色定向亮度由下式定义：

$$B_b = \frac{P}{\Delta S\Delta\Omega\Delta\nu} \tag{1-4}$$

式中　B_b——单位光束截面在单位频率间隔内，向单位立体角辐射的功率；

　　　P——光源的辐射功率；

　　　ΔS——辐射面积；

　　　$\Delta\Omega$——辐射所占的立体角；

　　　$\Delta\nu$——辐射的线宽。

对于激光来说，由于它特有的单色性和方向性，即非常小的发散角和非常窄的线宽，因而表现出高亮度。

激光的单色性、方向性、相干性和高亮度，意味着激光可视为单一频率的高强度的相干电磁波或光子流，是光点火、光起爆的最理想的光源；同时激光的特性也决定了激光点火与普通光点火的机理有着重要的区别。

1.2　常用激光器

自 1960 年世界上第一台激光器问世以来，已经研制了大量的激光工作物质，并创建了多种多样的谐振腔结构和激光器工作方式。激光器的发展已经达到了相当高的水平，而且种类繁多。按激光器工作物质的物性不同来分，可分为固体激光器、气体激光器、液体激光器、半导体激光器等；按激光器工作方式来分，则有脉冲式激光器、连续波激光器、波长可调谐激光器等；按激光器输出特性来分，可分为大能量激光器、超短脉冲激光器、稳频激光器等。

红宝石激光器和钕离子激光器是最常用的两种固体激光器。钕离子激光器是以钕离子为激活介质的激光器，常见的主要有两种：一种是在玻璃中掺入 Nd^{3+} 离子，进而制成钕玻璃激光器；另一种是在基质材料钇铝石榴石（YAG）单晶中掺入适量的 Nd^{3+} 离子，制成掺钕钇铝石榴石（Nd^{3+}：YAG）激光器。掺钕钇铝石榴石激光器的中心工作波长为 1.06 μm，属近红外波段。以调 Q 方式工作的 YAG 激光器的峰值功率可达 100 MW，而连续波 YAG 的输出功率可达 700 W 以上，容易满足激光点火对功率和能量的要求。因此，YAG 激光器成为激光点火常用的激光器之一。

气体激光器中比较典型的有 He-Ne 激光器、CO_2 激光器及准分子激光器。He-Ne 激光器输出波长在可见和红外波段，被认为是当今频率最稳定以及单色性、相干性最好的激光器，它的不足之处是功率偏小；CO_2 激光器的主要输出波长在 10.6 μm，由于其输出功率大（连续输出功率可达到上万瓦），且在 9 ~ 11 μm 波段范围内连续调谐[60]，从而成为激光点火研究中常用的激光器。准分子激光器的输出波长在可见和紫外波段，因而单个辐射光子的能量较红外光子要大得多，容易满足材料吸收单个光子而直接发生光解的条件，因此准分子激光器适用于研究含能材料的光化学作用。

液体激光器中比较有代表性且较为常用的是染料激光器。染料激光器以染料（如吐吨类、香豆素类等）为工作物质，将不同的染料溶于不同的溶剂中，使用不同的泵浦源，可以获得从紫外、可见至红外的激光输出。并且染料激光器连续输出激光的线宽可以窄至 50 kHz 以下，而脉冲输出的激光脉宽可以窄至 10 fs以下。染料激光器因具有可调谐、频率范围大、线宽窄、脉宽可以很小等特点，所以在激光点火应用与激光点火机理的实验研究中具有很好的应用前景。

自由电子激光器可以得到从软 X 射线到红外的大范围波长，用于激光与材料相互作用的机理研究具有明显的优势；氧碘激光器则以大功率、高能量著称，在激光点火技术中，具有不可替代的作用。

20 世纪 80 年代开始蓬勃发展起来的半导体激光器是极具应用价值的一种激光器，它的工作物质是半导体晶体材料。输出光子的过程对应于导带和价带之间的能级跃迁，光子能量等于禁带宽度，激光波长一般位于近红外区。半导体激光器的显著特点是体积小、重量轻、效率高，因而被视为在航空、航天等领域用于激光点火的极具发展前景的激光器。随着半导体激光器功率的不断提高和成本的不断降低，它在激光点火方面的应用必将更加广泛。

1.3 激光对材料的作用

激光可看做平面单色电磁波，它的电场矢量 E 和磁场矢量 H 可分别表示为

$$E = E_0 \exp[\mathrm{i}(k \cdot r - \omega t)] \tag{1-5}$$

$$H = H_0 \exp[\mathrm{i}(k \cdot r - \omega t)] \tag{1-6}$$

式中　k —— 波矢；$k = \omega / v = 2\pi / \lambda$，$v$ 是波速，在真空中波速 v 等于 c，λ 是波长；

ω —— 圆频率；

E_0、H_0 —— 电场和磁场的振幅矢量。

E 和 H 之间的关系满足麦克斯韦方程组。电磁波作用于一个电子上的力 f_e 是电场力和磁场力之和，即

$$f_e = -e[E + (v_e \times \mu H)] \tag{1-7}$$

式中　v_e —— 电子速度；

μ —— 磁导率；

e —— 电子电量值。

通常磁场力比电场力要小得多，因此在讨论电磁波与材料的相互作用时，往往将磁场力忽略而只考虑电场的作用。

根据光的波粒二象性，激光与材料的相互作用也可以看做是激光光子与受照射物质之间的相互作用。而激光频率和激光强度（或称激光功率密度）是决定这种相互作用的微观机制和强弱程度的重要因素。因此，有必要先对激光功率密度和激光光子流密度做一计算。

如将发散角为 2θ（弧度）的激光束用焦距为 f 的透镜聚焦时，焦平面上的光斑直径 d 可表示为

$$d = 2\theta f$$

激光功率密度（单位时间内、通过与光束垂直的单位截面积的

激光能量)I_0等于激光的输出功率 P 与光斑面积 S 的比值，即

$$I_0 = \frac{P}{S} = \frac{4P}{\pi d^2} = \frac{P}{\pi a^2} \ (\text{W} / \text{m}^2) \quad (a = d / 2) \quad (1\text{-}8)$$

实用中常选 W / cm^2 作为激光功率密度的单位。频率为 ν(波长为λ)的光子所具有的能量 ε_0 为

$$\varepsilon_0 = h\nu = \frac{hc}{\lambda} \quad (1\text{-}9)$$

式中：普朗克常数 $h = 6.63 \times 10^{-34}$ Js；真空中光速 $c = 3 \times 10^8$ m / s。

与激光功率密度 I_0 相应的光子流密度为

$$n_0 = I_0 / \varepsilon_0 = I_0 / \left(\frac{hc}{\lambda} \right) = I_0 \lambda / (hc) \quad (1\text{-}10)$$

考虑一束直径 d 为 400 μm、波长λ等于 1.06 μm、功率 P 为 10^3 W 的激光，它的功率密度和光子流密度可由式(1-8)和式(1-10)分别计算得到

$$I_0 = \frac{4P}{\pi d^2} = 7.96 \times 10^5 \ (\text{W/cm}^2)$$

$$n_0 = \frac{I_0 \lambda}{hc} = 4.24 \times 10^{24} (1/ \text{m}^2 \cdot \text{s})$$

现代激光技术已能使激光功率密度达到 10^{19} W / cm^2 以上[61]。由于激光束的单色性好、功率密度高，使得激光与材料相互作用的形式和微观机制呈现出多样性和特殊性。激光的作用可概括为热作用、机械作用、电磁作用和光化学作用等[62]。

1.3.1 激光的热作用

从电磁波的角度分析激光的热作用，就是被激光照射的物质中的电子，在激光电场的作用下做受迫振动，相当于材料中生成了次级能源。这些次级能源向周围辐射次波，进一步形成能量的转移和扩散。激光能量最终转化为热能，宏观上表现为材料温度

的升高。由于激光的特性，激光对材料的热作用与普通意义上的加热有显著的区别。这个区别主要表现在激光热激发的选择性和局域性两个方面。

作为一级近似，材料分子的运动可以分为平动、转动、振动和分子内电子的运动。每个运动状态都属于一定的能级。分子的总能量 E_m 可表示为

$$E_m = E_p + E_t + E_r + E_v + E_e \qquad (1-11)$$

式中　E_p、E_t、E_r、E_v 和 E_e —— 分子的势能、平动能、转动能、
　　　　　　　　　　　　　　振动能和分子内电子的能量。

不同形式的能态，其能级之间的间距是不同的。例如，电子的能级间距与可见光和紫外光频率相对应，而振动能级的间距则与红外光频率对应等。普通加热方法造成各种运动能级的热平衡状态，而激光的热激发则具有很强的选择性。如用红外激光照射材料时，会使材料中大量分子的振动能级被激发，这时激光的能量主要用于提高分子的振动能级，使材料分子产生很高的振动温度。而用可见或紫外光照射材料时，则主要激发分子的电子能级。例如，在一定的条件下，可以使平动温度仅升高 5~10 K，而振动温度则升高 600~1 000 K[63]。当体系能量分布处于非平衡状态时，体系将通过相互作用而进行能量交换，称之为能量转移。能量转移可以在体系之间进行，也可以在体系内部各自由度之间进行，如平动—平动转移(T—T 转移)、平动—转动转移(T—R 转移)、振动—平动／转动转移(V—T／R 转移)等。不同形式的能量转移具有不同的概率和不同的弛豫时间。弛豫时间的数量级一般在 10^{-6}~10^{-10} s[64]范围之内。通过分子之间的碰撞等作用形式达到新的热平衡后，材料中分子按能量的分布遵从玻尔兹曼统计规律，少数分子处于较高能态。在红外激光的辐照下，材料中处于高振动激发态的分子有可能克服反应活化能并以可观的速率进行化学反应。红外激光引起的这种热化学反应，是激光热作用的

一个重要特点。对于气体物质，由于其分子之间的相互作用较弱，上述特点尤为显著。

激光热激发的另一特点是局域性，即激光的热效应仅在材料中的一个很小区域内发生。导致这种现象的原因首先是激光的方向性，不论是聚焦激光束还是光纤传输的激光，所形成的光斑面积都很小。在激光强度(或称功率密度)较高、吸收系数较大的情况下，激光能量将在短时间和小面积范围内被材料表面薄层吸收。在材料内部这一小空间里，激光能转化为热能的速率远大于材料热扩散的速率，极易形成材料内局部的高温区域。其次，由于材料的折射率是温度的函数，材料中受激光束中央照射处的温度高于外围区域，使得原来的平行光束进入材料以后发生会聚，形成所谓的"热自聚焦"[65]。热自聚焦的发生更增强了激光的热作用的局域性，导致这一区域温度的进一步升高。

根据激光与材料间的热相互作用的选择性和局域性，可以通过选取合适的激光频率、较高的激光功率、较高的聚焦度或采用较细的传输光纤以增大激光强度，来获取材料中更高的局部温度。这对于有效地加热材料及实现激光点火等，无疑是很有价值的。

1.3.2　激光的机械作用

电磁波入射到任何表面上产生的冲击作用——光压可以根据光的电磁理论来计算。沿 z 方向传播的波长为 λ 的光波的电场可以表示为

$$E = E_0 \exp[\mathrm{i}(2\pi z / \lambda - \omega t)] \qquad (1\text{-}12)$$

相应的磁场 H 与电场有相似的形式。电磁波作用于电子的力即电场力与磁场力(洛仑兹力)之和由式(1-7)表示。正是这种力的作用形成了光压。根据电磁场的动量 P_e 和能量 E_e 的关系

$$P_e = E_e / c \qquad (1\text{-}13)$$

以及功率密度的定义可知，功率密度为 I_0 的激光在单位时间、单

位面积上传播的动量为 I_0 / c。由动量守恒定律，当反射率为 f_r（$0 \leqslant f_r \leqslant 1$）时，被照射物体在单位时间、单位面积上获得的动量为 $(1+f_r)I_0 / c$。也就是说，光压 p（被照射物体表面上单位面积受的力）和激光功率密度 I_0 有如下关系：

$$p = \frac{I_0}{c}(1 + f_r) = \omega(1 + f_r) \tag{1-14}$$

式中　ω —— 电磁辐射的能量体密度，$\omega = I_0 / c$。

容易看出，绝对吸收物体（绝对黑体，$f_r = 0$）的光压 p 为 I_0 / c、绝对反射物体（$f_r = 1$）的光压 p 为 $2I_0 / c$。假定有一功率 P 为 10^7 W、直径 d 为 100 μm 的激光束入射到材料表面，由式（1-14）可以算得它产生的光压最小（对应 $f_r = 0$）为

$$p = \frac{I_0}{c} = \frac{P / [\pi(d/2)^2]}{c} = 4.25 \times 10^6 \ (\text{Pa})$$

如果要在含能材料表面产生 1 GPa（这是一般凝聚炸药冲击起爆所需的最小压力强度）[66]以上的光压，则要求激光功率密度

$$I_0 \geqslant pc / (1+f_r) = pc / 2 = 1.5 \times 10^{13} (\text{W} / \text{cm}^2)$$

1.3.3　激光的电磁作用

激光的电磁场的坡印廷矢量 S 满足
$$\boldsymbol{S} = \boldsymbol{E} \times \boldsymbol{H} \tag{1-15}$$

式中　$\boldsymbol{E}$ —— 电场矢量；

　　　$\boldsymbol{H}$ —— 磁场矢量。

电场矢量和磁场矢量互相垂直，且 E 和 H 满足 $\sqrt{\varepsilon}E = \sqrt{\mu}H$，$\varepsilon$ 是物质的介电常数，μ 是物质的磁导率。激光电磁场的坡印廷矢量的幅值 S 与激光功率密度 I 满足如下关系：

$$S = |\boldsymbol{E} \times \boldsymbol{H}| = \sqrt{\frac{\varepsilon}{\mu}}E^2 = 2I = 2I_0(1 - f_r) \tag{1-16}$$

式中　I —— 介质中的激光功率密度，$I = I_0(1 - f_r)$。

对于一般非铁磁性物质，磁导率μ近似等于μ_0，μ_0为真空中的磁导率，$\varepsilon = \varepsilon_r \varepsilon_0$，$\varepsilon_0$是真空中的介电常数，$\varepsilon_r$是介质的相对介电常数，真空中的光速$c = 1/\sqrt{\mu_0 \varepsilon_0}$，介质中的折射率$n = \sqrt{\varepsilon_r}$。从式(1-16)不难得到激光的电场强度$E$与激光功率密度$I_0$满足如下关系：

$$E^2 = 2I_0 \sqrt{\frac{\mu}{\varepsilon}} = \frac{2I_0(1 - f_r)}{n \varepsilon_0 c} \tag{1-17}$$

由式(1-17)易见

$$E \propto \sqrt{I_0} \tag{1-18}$$

即电场强度E与激光功率密度I_0的平方根成正比。当I_0足够大时，激光在材料中产生的电场强度E将足够大而发生材料分子的电离甚至引起材料的电击穿。对于固体电介质材料，由功率密度I_0决定的激光电场，将使束缚电子加速并最终脱离晶格，成为自由载流子，同时少数自由电子被加速成为高能电子。高能载流子在与晶格碰撞的过程中被减速，同时产生低能载流子对(从晶格原子上碰掉一个电子，留下一个空穴)，这种由碰撞产生的电离是Auger复合的逆过程。在激光电场的继续作用下，新的载流子又被加速，进一步发生碰撞电离，以致发生载流子雪崩，形成微等离子区。此时，如果仍有一定强度的激光辐照，就会引起材料的"光学击穿"。

将式(1-17)变化得

$$I_0 = \frac{n \varepsilon_0 c E^2}{2(1 - f_r)} \tag{1-19}$$

根据式(1-19)可以估算引起一般炸药发生电击穿所需要的激光强度I_0。设$f_r = 0.5$，$n = 2$，$E = 10^5$ V/cm，这是一般炸药绝缘强度的数量级[67]，真空中介电常数和光速分别为$\varepsilon_0 = 8.854 \times 10^{-12}$

F / m，$c = 3 \times 10^8 \, \text{m} / \text{s}$，将以上各量的值代入式(1-19)，计算出相应的激光功率密度为

$$I_0 = 5.31 \times 10^9 \, \text{W} / \text{cm}^2 \qquad (1\text{-}20)$$

式(1-20)的计算结果给出了使炸药发生电击穿的激光功率密度的数量级为

$$I_0 \geqslant 10^9 \, \text{W} / \text{cm}^2 \qquad (1\text{-}21)$$

1.3.4　激光的光化学作用

物质吸收光而引起物质发生化学变化称为光化效应。复杂分子在光的作用下分解为较简单的分子或原子、基、离子团，称为光致离解。由于激光可看做单一频率的光并具有较高的功率密度，因此它的光化学作用即光致离解作用比普通光源要显著得多。光致离解分为两种情况：

(1)物质吸收一个光子而发生离解。这种情况要求激光频率 ν 满足

$$\nu \geqslant \nu_0 = \frac{D}{h} \qquad (1\text{-}22)$$

式中　ν_0——使物质发生光解的临界频率；

　　　D——物质的离解能。

对于一般物质，频率 ν_0 对应于可见到紫外波段。单光子吸收的跃迁速率可以用量子跃迁的一级微扰理论求出，其值与光子通量(即光子流密度)n_0 成正比。

$$n_0 = I_0 / \varepsilon_0 = I_0 / h\nu \qquad (1\text{-}23)$$

(2)物质吸收多个激光光子而离解。物质分子同时或接连吸收多个光子而发生离解称为多光子离解。激光点火常用的激光器如 CO_2 激光器、Nd：YAG 激光器以及半导体激光器等，其工作波长一般位于 $10.6 \sim 0.8 \, \mu\text{m}$ 之间，属红外波段，相应的单个激光光子能量在 $0.12 \sim 1.6 \, \text{eV}$ 之间，此能量仅相当于物质化学键能的几十

分之一到几分之一，因此材料分子必须同时或连续吸收多个红外光子才能发生光致离解。由 n 光子跃迁过程的跃迁几率为

$$W_n = \Sigma_n n_0{}^n + O(n_0{}^n) \qquad (1\text{-}24)$$

式中　　W_n——n 光子跃迁几率；

　　　　Σ_n——n 阶跃迁截面，$cm^{2n}s^{n-1}$；

　　　　n_0——光子流密度。

在不存在中间态共振情况下，式(1-24)中第二项可忽略不计[68]，于是有

$$W_n = \Sigma_n n_0{}^n = \Sigma_n (I_0 / h\nu)^n \qquad (1\text{-}25)$$

式(1-25)表示 n 光子吸收的跃迁几率 W_n 与激光强度 I_0 的 n 次方成正比。通常单光子吸收截面Σ_1 在 $10^{-16} \sim 10^{-22}$ cm^2 之间，而双光子吸收截面Σ_2 在 $10^{-48} \sim 10^{-57}$ cm^4s 之间，Σ_n 的值随 n 的增加而大幅度减小。因此，在通常光源条件下，几乎不可能观察到多光子现象。仅当式(1-25)中的激光功率密度 I_0 足够大（$I_0 > 10^6$ W / cm^2）时，才有明显的多光子吸收（MPA：Multiphoton Absorption）现象，而发生可观测的多光子离解（MPD：Multiphoton Dissociation）效应。

MPD 通常以振动能级间的跃迁方式完成，并且需要通过转动补偿等方式来克服因振动能级间隔的非谐性引起的"瓶颈"效应。由于与分子的振动能级的能量间隔相当的是红外光子的能量，因此，对红外多光子吸收（IR MPA）及红外多光子离解（IR MPD）的研究，是备受关注的课题之一。

1.4　激光点火机理分析

激光点火过程本质上是激光与物质相互作用的过程。与一般物质所不同的是含能材料在高功率密度激光的作用下，将会发生

分解反应。反应过程中释放出大量的热量，使反应速度进一步加快，形成高温高压，当体系达到一定的温度（体系的发火温度）时，体系发生快速反应即燃烧或爆炸。

由于激光具有单色性好(单一波长的电磁波)、方向性强(沿单一方向传播)、会聚度高(具有高功率密度)等特点，容易满足被含能材料选择性吸收而发生一系列后续反应的条件，使得激光点火的微观机制呈现其多样性和复杂性。研究激光点火机理，也就是研究激光对含能材料的作用形式及微观作用机制，从而揭示激光点火的本质与规律。这无论对于丰富和发展激光与物质相互作用的理论，还是指导和推动激光点火技术的发展，都具有十分重要的意义。

1.4.1 激光点火机理的一般描述

激光点火是指直接用激光照射含能材料，依靠激光的能量引燃或引爆含能材料。显然，激光点火的过程是激光与含能材料相互作用的过程。

激光与材料的相互作用，已在 1.3 节中作了概括的论述。激光与普通材料之间发生的热作用、冲击作用、光化学作用以及电离和击穿等现象及规律，同样适用于含能材料，这是不言而喻的。与一般材料不同的是，含能材料通常具有较低的燃点和较高的热值。当被加热到一定的温度或受到其他外界作用时，含能材料将开始增殖的化学反应，并且由于反应过程中不断释放的能量，极易使反应区在瞬间扩大，甚至形成剧烈燃烧或爆炸。由于所用激光和含能材料等情况的千差万别，当激光作用于含能材料时，引起含能材料分子初始反应的机制和微观模型也不会完全相同。激光点火机理分析是对含能材料激光点火的内在过程的一种评价。从激光与含能材料的相互作用出发，按照引起含能材料初始反应的激光作用机制的不同，相应的激光点火机理可分为热机理、光化学机理等。分析不同机理的本质特征以及相互之间的区别与联系，从中总结出有益的结论和规律，是激光点火机理分析研究的宗旨。

1.4.2 光化学机理

含能材料分子吸收特定频率的激光光子并发生离解，离解产生的高活性快速粒子进一步引发化学链反应，由此引发的点火，属于光化学点火机理。

材料分子在特定频率激光的作用下，会发生直接光解并引起材料中的链锁反应。较典型的如用波长为 337 nm 的激光照射 Cl_2/H_2 混合物，将发生如下反应[69]：

$$Cl_2(^1\Sigma_g^+)+h\nu(波长为\ 337\ nm) \longrightarrow Cl(2P_{1/2})+Cl(2P_{3/2}) \quad (1\text{-}26)$$

$$Cl\ +H_2 \longrightarrow HCl+H \quad\quad\quad (1\text{-}26a)$$

$$H\ +\ Cl_2 \longrightarrow HCl+Cl \quad\quad\quad (1\text{-}26b)$$

$$2Cl\ +\ X \longrightarrow Cl_2\ +X^* \quad\quad\quad (1\text{-}26c)$$

式(1-26)中，$h\nu$ 表示频率为 ν 的光量子的能量。式(1-26a)的含义是，当 H_2/Cl_2 混合物受到合适频率的光的照射时，光量子被氯分子吸收，引起氯分子离解。这一微观过程，必须满足能量守恒和动量守恒。上述一系列反应的开端是，一个氯分子吸收一个波长为 337 nm 的光子，离解成两个氯自由基，进而引发后续反应。其中式(1-26a)和式(1-26b)所描述的反应发生得很快，它们的净效应是一个氯分子和一个氢分子变换成两个氯化氢分子。当激光强度足够高时，上述反应将在很短时间内完成。Ping Ling 和 Charles A.Wight[70]使用 Nd：YAG 激光器的 4 倍频激光（波长 266 nm，脉宽 7 ns，功率 35 mW），在低温下分别对含能材料 GAP(glycidyl azide polymer) 和 PGN(poly glycidyl nitrate) 做了激光光解实验。实验观察到 GAP 光解反应为

$$
\underset{\textbf{GAP}}{\left(\!\!\begin{array}{c} N_3 \\ | \\ CH \\ | \\ O - CH - CH_2 \end{array}\!\!\right)_{\!\!n}} \quad +h\nu \longrightarrow \quad \left(\!\!\begin{array}{c} NH \\ \| \\ CH \\ | \\ O - CH - CH_2 \end{array}\!\!\right)_{\!\!n} \quad +N_2
$$

对于 PGN，实验观察到如下光解反应：

$$
\underset{\textbf{PGN}}{\left(\!\!\begin{array}{c} ONO_2 \\ | \\ CH_2 \\ | \\ O - CH - CH_2 \end{array}\!\!\right)_{\!\!n}} \quad +h\nu \longrightarrow \quad \left(\!\!\begin{array}{c} O \\ \| \\ O - C - CH_2 \end{array}\!\!\right)_{\!\!n} \quad +HNO+CH_2O
$$

又如，混合气体 H_2/O_2 受到波长为 157 nm 的激光照射时，有以下反应发生：

$$O_2 + h\nu \ (157\,nm) \longrightarrow 2O + X \tag{1-27a}$$

$$O + H_2 \longrightarrow OH + H \tag{1-27b}$$

$$OH + H_2 \longrightarrow H_2O + H \tag{1-27c}$$

$$H + O_2 \longrightarrow OH + O \tag{1-27d}$$

$$OH + H \longrightarrow H_2O \tag{1-27e}$$

最终的效果是

$$2H_2 + O_2 \longrightarrow 2H_2O \tag{1-27f}$$

上述反应过程是光化学引发的，并且包含链锁机理，H、O 和 OH 起链载体作用。反应步骤(a)称为链引发，步骤(b)、(c)和(d)均属于链分枝反应。链分枝反应会导致相当大浓度的链载体快速生成，这些链载体又反过来使总反应速度迅速加快，最终导致分枝链锁爆炸。这是一个典型的光化学点火的实例。

光化学点火需要满足两个条件：①激光波长必须与含能材料

的吸收波长严格匹配，从而使材料对激光产生共振吸收而发生光解；②照射含能材料的激光能量不能太小。例如对于 H_2 / O_2 以及氧气/碳氢化合物组成的混合物，所需要的点火能量约为 1 mJ[71]。由于气体特别是低压或常压状态下的气体，其分子之间的相互作用较弱，具有明显的线状吸收光谱，因此光化学点火特别适合于气体含能材料。与其他点火机理相比，光化学点火过程中能量转换率高，因而发生点火所需要的激光能量较小。对于单光子光解即含能材料分子一次吸收一个光量子全部能量发生离解而引发的点火，要求激光波长不大于可见光的波长，一般在 700 nm 以下。否则，一个光子的能量将不足以使一个分子或原子离解。

凝聚炸药等含能材料分子一般属于多原子组成的大分子。N（$N>2$）个原子组成的分子其振动自由度数（或振动模数）S 为

$$S = 3N - 6 \qquad (1-28)$$

分子的总振动能是各模上振动能 ε_i 之和为

$$E_v = \sum_{i=1}^{S} \varepsilon_i = \sum_{i=1}^{S} \left(v_i + \frac{1}{2} \right) h v_i \qquad (1-29)$$

v_i 是第 i 模上的振动量子数，v_i 是振动频率。若以 $W(E_v)$ 表示总振动能 E_v 以下的振动态数之和，则有

$$W(E_v) = \sum_{\varepsilon_v = 0}^{E_v} P(\varepsilon_v) \qquad (1-30)$$

式中　$P(\varepsilon_v)$ ——振动能在 ε_v 至 $\varepsilon_v + \delta\varepsilon_v$ 之间的振动态数。

随着 E_v 的增大，尤其是随着分子的振动自由度数 S 的增大，分子的振动态数与态密度均迅速增大。凝聚态含能材料分子一般具有很高的振动态密度，在 MPA 反应中容易克服振动非谐性产生的"瓶颈效应"，因为通过转动能级的补偿等方式，分子在吸收了少数几个光子之后便可进入到一个振动态越来越密集的"准

连续态"，此时分子可以迅速地、一连串地吸收十几个乃至几十个光子，直到所吸收的光能超过其离解的阈值能量而分解。

红外多光子离解(IR MPD)具有高振动激励的特点，即MPD反应具有"热"的振动温度和"冷"的平动、转动以及电子温度。MPD反应的另一特点是离解过程中无需碰撞，这和必须经过碰撞达到能量分布平衡的热反应(弛豫时间较长)完全不同，MPD经历的时间为纳秒量级。

激光点火常用的激光器（包括固体激光器、气体激光器和半导体激光器等)的工作波长大多在红外波段。因此，在光化学点火方面，红外多光子离解具有较高的研究和实用价值。

含能材料的光化学点火对激光波长的严格选择性也突出反映在临界点火能量上，即合适的波长对应于较低的临界点火能量。以 CH_4 / N_2O 为例，使用波长为 193 nm 的激光时，点火能量为 0.65 mJ，而使用波长为 532 nm 或 248 nm 的激光时，点火能量则分别为 12.0 mJ 和 35 mJ 以上[72]。

1.4.3 热机理

光化学机理描述的是含能材料分子吸收光量子而直接光解所引起的点火。而热机理描述的是，当激光照射含能材料时，材料分子的平动能级、转动能级或振动能级被激发，这些处于激发态的分子在与其他分子的碰撞等相互作用中，发生能量转移。材料通过能级间的跃迁吸收激光能，并通过分子间或分子内各自由度之间的相互作用，以无辐射跃迁的形式完成弛豫。其结果是激光能转化为热能，导致材料温度升高。当含能材料的温度超过其临界点火温度时，点火便会发生。而温度升高的条件是热产生的速率大于热损失的速率。

对于给定的含能材料样品，根据热平衡方程可导出其临界点火能量的计算公式为

$$E_i = \frac{1}{4}\pi d^2 h\rho c \frac{T - T_a}{1 - f_r} \tag{1-31}$$

式中　E_i——临界点火能量；

　　　d——材料表面光斑直径；

　　　h——激光透入深度；

　　　ρ——材料密度；

　　　c——比热；

　　　T——点火温度；

　　　T_a——环境温度；

　　　f_r——材料表面的激光反射率。

由式(1-31)可以进一步得到临界点火的能量密度

$$\omega_i = 4E_i / (\pi d^2) = h\rho c \frac{T - T_a}{1 - f_r} \tag{1-32}$$

式(1-31)、式(1-32)分别给出了含能材料的临界点火能量和临界点火能量密度与材料密度、比热、临界点火温度、吸收与反射特性以及环境温度等因素的关系，但没有反映出激光作用时间或者激光功率对点火的影响，而这一点在小功率激光器点火时尤为重要。因此，有必要从热流方程的角度分析激光点火问题。考虑一束强度为 I_0 的激光垂直入射到含能材料表面上，设表面反射率为 f_r，则受激光照射的含能材料的热流方程可写为

$$\rho c \frac{\partial T}{\partial t} = \lambda \frac{\partial^2 T}{\partial x^2} + \rho Q A \exp(-\frac{E_a}{RT}) + (1 - f_r)\alpha I_0 \exp^{(-\alpha z)} \tag{1-33}$$

式中　ρ——密度，kg / m^3；

　　　c——比热，$J / (kg \cdot K)$；

　　　λ——导热系数，$W / (m \cdot K)$；

　　　Q——化学反应热，J / kg；

　　　A——反应速度常数指前因子，$1 / s$；

E_a —— 活化能，J / mol；

f_r —— 材料表面的激光反射率；

α —— 材料对激光的吸收系数，1 / m；

I_0 —— 激光功率密度，W / m^2。

对于 Gauss 光束，即激光功率密度 I 的分布遵循

$$I = I_0 \exp(-r^2 / a^2) \tag{1-34}$$

式中　a —— 光束半径；

$I_0 = P / (\pi a^2)$（P 是激光功率）。

当吸收系数 α 很大时，激光能几乎全被材料表面层吸收转变成热。如果再忽略反应放热，则材料表面被激光束照射中心 O $(r = 0, z = 0)$ 处（如图 1-2 所示）的温度 $\theta_{0,0,t}$（初温视为零）随时间 t 的变化关系可从热流方程求得

$$\theta_{0,0,t} = \frac{(1-f_r)P}{\lambda a \pi^{3/2}} \arctan(2\sqrt{\alpha t} / a) \tag{1-35}$$

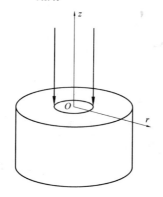

图 1-2　激光束入射在材料表面

即

$$\arctan(2\sqrt{\alpha t} / a) = \frac{\lambda a \pi^{3/2} \theta_{0,0,t}}{(1-f_r)P} \tag{1-36}$$

式中 λ——导热系数，$W/(m \cdot K)$；

$\quad\quad \alpha$——热扩散系数，m^2/s，$\alpha = \lambda/(\rho c)$；

$\quad\quad \rho$——密度，kg/m^3；

$\quad\quad c$——比热，$J/(kg \cdot K)$。

当激光作用时间 t 足够小，$\dfrac{2\sqrt{\alpha t}}{a} \leqslant 1$ 时，从式(1-36)可近似得

$$2\frac{\sqrt{\alpha t}}{a} = \frac{\lambda a \pi^{3/2} \theta_{0,0,t}}{(1-f_r)P} \quad\quad (1\text{-}37)$$

将 $\alpha = \lambda/\rho c$ 代入式(1-37)并整理得

$$t = \frac{\pi \lambda \rho c \theta_{0,0,t}^2}{4(1-f_r)^2 I_0^2} \qu\quad\quad (1\text{-}38)$$

根据式(1-38)并注意到 $I_0 = P/S$，含能材料的激光点火能量 E_i 可用下式计算

$$E_i = Pt_i = \frac{P \pi \lambda \rho c \theta_{0,0,t_i}^2}{4(1-f_r)^2 I_0^2} = \frac{S^2 \pi \lambda \rho c \theta_{0,0,t_i}^2}{4(1-f_r)^2 P} = \frac{S \pi \lambda \rho c \theta_{0,0,t_i}^2}{4(1-f_r)^2 I_0} \quad (1\text{-}39)$$

式中 P——激光功率；

$\quad\quad \theta_{0,0,t_i}$——临界无量纲温度；

$\quad\quad t_i$——和 $\theta_{0,0,t_i}$ 相对应的激光照射时间；

$\quad\quad S$——光束截面积。

从式(1-39)不难看出，随着激光强度 I_0 的增大，材料的激光点火能量 E_i 减小。

若激光束是均匀的，则照射面中心 Z 轴上的温度(升高)为

$$\theta_{0,0,t} = \frac{2(1-f_r)P}{\pi a^2} \frac{\sqrt{\alpha t}}{\lambda}\left[ierfc \frac{Z}{2\sqrt{\alpha t}} - ierfc \frac{\sqrt{Z^2+a^2}}{2\sqrt{\alpha t}} \right] \quad (1\text{-}40)$$

式中 $ierfcx = \dfrac{1}{\sqrt{\pi}}\mathrm{e}^{-x^2} - xerfcx$ 是 $erfcx$ 的一次积分函数，$erfcx =$

$1 - \dfrac{2}{\sqrt{\pi}}\displaystyle\int_0^x \mathrm{e}^{-y^2}\mathrm{d}y$ 是误差函数 $erfx$ 的有关函数；

α——热扩散系数，m^2/s。

当激光作用的时间很短即 t 很小时，能满足 $\dfrac{a}{2\sqrt{\alpha t}} \geqslant 1$ 情况，式 (1-40) 中第二项较第一项小一个数量级，则表面升温 $\theta_{0,0,t}$ 为

$$\theta_{0,0,t} = \frac{2(1-f_{\mathrm r})P}{\pi a^2}\frac{\sqrt{\alpha t}}{\lambda}ierfc0 \tag{1-41}$$

将 $ierfc0 = \dfrac{1}{\sqrt{\pi}}$，$\lambda = \alpha/\rho c$ 代入式 (1-41) 并整理得

$$t = \frac{\pi\lambda\rho c\theta_{0,0,t}}{4(1-f_{\mathrm r})^2 I_0^{\,2}} \tag{1-42}$$

含能材料激光点火的阈值能量 E_i 可用下式计算：

$$E_{\mathrm i} = Pt_{\mathrm i} = \frac{p\pi\lambda\rho c\theta_{0,0,t_{\mathrm i}}^2}{4(1-f_{\mathrm r})^2 I_0^{\,2}} = \frac{S^2\pi\lambda\rho c\theta_{0,0,t_{\mathrm i}}^2}{4(1-f_{\mathrm r})^2 P} = \frac{S\pi\lambda\rho c\theta_{0,0,t_{\mathrm i}}^2}{4(1-f_{\mathrm r})^2 I_0} \tag{1-43}$$

式 (1-43) 和式 (1-39) 具有相同的形式。

以上分析推导表明，无论是用 Gauss 光束还是均匀光束照射含能材料，都得到了相同的结论：随着激光功率 (密度) 的增大，材料的激光点火的阈值能量减小。从式 (1-39) 和式 (1-43) 还可以看出，在一定条件下，随着材料密度 ρ 的减小，材料的激光点火的阈值能量减小。

由表面源 (入射激光被材料表面很薄一层吸收) 情况下的热流方程还可以得到当时间 t 趋于无穷大时的温度，也就是含能材料

被激光照射表面中心能够达到的最高温度 $T_{0,0,\infty}$（初温视为零）由下式表示

$$T_{0,0,\infty} = \frac{P}{2\lambda a\sqrt{\pi}} \qquad (1\text{-}44)$$

式(1-44)表明，当激光功率或激光强度低于某一个值时，即使激光作用的时间很长，含能材料也不可能达到其点火温度。从物理模型上不难解释这一点：随着含能材料温度的升高，热散失的速率也将增大，当热散失的速率增加到与热吸收（热产生）的速率相平衡时，温度上升到最大值，如果此最大温度值低于含能材料点火的临界温度，则点火将不可能发生。以镁／硝酸钠(Mg／NaNO$_3$)为例，它的导热系数λ为 4.4 W／(m·K)[73]，如果激光束的功率 P 为 0.01 W，激光束半径 a 为 1.0×10^{-4} m，则可计算出最大温度(升高)T 为 6.4 K。此时的激光功率密度 I 为 31.8 W／cm^2。

1.4.4　激光引发电离及等离子体点火机理

由式(1-17)和式(1-21)可知，当照射含能材料的激光强度 I_0 足够大时，激光在材料中产生的电场将足够强，特别是当 $I_0>10^9$ W／cm^2 时，材料将发生电击穿。在激光束电场的作用下，材料发生电离的机理主要有两种：①多光子吸收过程引起电离，称为多光子电离或 MPI(Multiphoton Ionization)机理；②碰撞引起电离。多光子电离是分子或原子同时吸收一定数量的光子，这些光子合起来的能量达到或超过原子的电离电位。激光点火常用的激光器，其工作波长一般在 1 μm 附近，属近红外波段，相应的单个光子的能量在 1 个电子伏特左右，明显地小于原子或分子的电离能。在这种情况下，基态原子不可能发生单光子电离。设 K 个光子的能量之和恰好超过原子或分子的电离电位，由于原子电离的几率正比于吸收 K 个光子的联合几率[74]，故有

$$W_e \propto I^K \qquad (1\text{-}45)$$

式中　W_e —— 电离几率；

　　I —— 激光强度。

由式(1-45)不难看出，激光强度 I 愈大，电离几率 W_e 愈大。并且仅当激光强度 I 足够大时，才有多光子电离引起的击穿发生。文献[74]给出的多光子击穿所需激光强度的实验值均在 10^{10} W / cm^2 以上，这与本文推导计算的结果即式(1-21)相吻合。

电离击穿的另一途径是碰撞电离。在激光辐射的焦斑体积中，只要有自由电子，那么，在电场的作用下，自由电子就会被加速而获得能量。电子在电场力作用下产生的加速度可由下式表示

$$a_e = \frac{eE}{m} \tag{1-46}$$

式中　a_e —— 电子获得的加速度；

　　e —— 电子电量；

　　E —— 激光束的电场；

　　m —— 电子质量。

在电场的振荡周期所决定的时间(近似为 ω^{-1})内，电子得到的振荡动能为

$$\frac{1}{2}mv^2 = \frac{e^2E^2}{2m\omega^2} \tag{1-47}$$

式中　ω —— 振荡电场的角频率。

电子跟原子每碰撞一次，电子就获得这部分能量。所以自由电子从振荡电场中获得能量的速率由式(1-48)表示为

$$\frac{dE_e}{dt} = \left(\frac{1}{2}mv^2\right)\nu_c = \frac{e^2E^2\nu_c}{2m\omega^2} \tag{1-48}$$

式中　E_e —— 电子能量；

　　ν_c —— 电子—原子碰撞频率。

将式(1-17)代入上式可得

$$\frac{\mathrm{d}E_e}{\mathrm{d}t} = \frac{e^2 I \nu_c}{nm\varepsilon_0 c\omega^2} \qquad (1\text{-}49)$$

式(1-49)说明,电子从电场吸收能量的速率,也可以说电离的速率随激光强度的增加而增大;另一方面,电离速率随激光频率(或光子能量)的增加而减小。也就是说,高激光强度或较低频率(对应较长的波长)较有利于碰撞电离的发生。文献[65]和文献[74]从实验得到发生电离击穿的最小激光强度随激光频率的变化规律也证明了这一点。

多光子电离或碰撞电离的结果,最终会导致含能材料发生电击穿,形成等离子区,并在激光焦斑区内产生电火花。由此而引起含能材料的点火,称为激光电离与等离子体点火。激光引起电离与等离子体点火机理对应的激光强度较高,一般在$10^9\,\mathrm{W/cm^2}$以上;另一方面,由于自由电子的扩散、附着和振动激发等造成的损耗,实现点火所需要的激光能量也较大。但是电离与等离子体点火机理对激光波长的选择性不强,因为电离速率主要取决于激光强度而不是激光波长。

1.4.5 复合机理

如前所述,含能材料的激光点火机理与激光强度和激光波长密切相关。光化学点火机理不需要很高的激光功率或很大的激光能量,但对激光波长有严格要求。在激光功率密度大于$10^9\,\mathrm{W/cm^2}$的情况下,电离和等离子体点火机理占主导地位;当激光功率密度小于$10^6\,\mathrm{W/cm^2}$时,热点火机理占主导地位;当激光功率密度在$10^6 \sim 10^9\,\mathrm{W/cm^2}$之间时,热点火机理、光化学点火机理以及电离和等离子体点火机理对含能材料点火同时起作用。也就是说,会出现多种点火机理并存的点火情况,这种包含热、电磁和光化学作用的点火机理称为复合机理。可以说,对于不同的含能材料,使用不同的激光波长、不同的激光强度、不同的脉宽等，都可能引起激光点火机理的变化与转移，从而使激光点火机理呈现出多样性和复杂性。

在激光二极管点火中，光纤输出激光功率 $P<50$ W，光纤芯径 $d\geqslant100$ μm，可以算出相应的激光功率密度 $I<1.6\times10^5$ W／cm^2。因此，激光二极管点火机理一般属于热作用机理[75]。

1.5　含能材料的激光感度

从以上分析可知，含能材料在激光的照射下，激光和材料之间将会发生热的、光化学的、机械的和电磁的相互作用。含能材料以不同形式吸收激光能量而发生物理和化学变化，同时释放能量，使反应进一步加剧。随着能量正反馈过程的形成和发展，含能材料的燃烧或爆炸将不可避免。可见，含能材料实现激光点火的条件首先是必须提供一定的激光能量。发生点火的最小激光能量即临界点火能量或点火的阈值能量，是衡量含能材料激光感度的标尺。阈值激光能量越小，则表明该含能材料的激光感度越高。

对于相同的入射激光，不同的含能材料(物理性质或化学性质不同)具有不同的激光感度，这是容易理解的。而对于同样的含能材料，由于入射激光的波长、强度等因素的不同，也会表现出不同的激光感度[76]，这是从前面分析中不难得出的一个重要结论。这一结论的价值在于它揭示了改变激光感度的不同途径——可以通过改变含能材料本身也可以通过改变激光性能参数。在激光二极管点火中，通常更关心的是如何提高含能材料的激光感度，从后一种途径看，选择合适的波长有利于含能材料对光的有效吸收，提高材料的激光感度。

以上从激光特性出发，根据光的电磁理论和量子理论以及含能材料的特性，分析了激光对含能材料的热作用、电磁作用、机械作用和化学作用等几种形式，并做了相应的计算。根据分析和计算的结果，将激光点火机理主要归纳为 3 种，即热的、光化学的、电离与等离子体点火机理。

光化学机理对激光波长有严格的选择性。此外，光化学作用的弛豫时间短，能量转换率高，因而光化学点火需要的激光能量较小，激光强度较低。电离与等离子体点火机理对激光波长没有选择性，但要求激光强度一般在 $10^7 \, W/cm^2$ 以上。热机理对激光波长有一定的选择性，与热机理相应的激光强度一般在 $10^6 \, W/cm^2$ 以下，热作用使含能材料点火所需的时间要相对长一些。在激光二极管点火中，光纤输出激光功率 $P < 50 \, W$，光纤芯径 $d \geqslant 100 \, \mu m$，激光功率密度 $I < 10^6 \, W/cm^2$，属于热作用机理。

理论分析表明激光强度(激光功率密度)对含能材料点火起着重要的作用。随着入射激光强度的增加，含能材料的激光点火的阈值能量减小。同时，激光波长是影响含能材料激光感度的重要因素之一。当入射激光波长满足含能材料发生共振吸收条件时，含能材料对入射激光的有效吸收大大增强，这时表现出较高的激光感度。

第 2 章　含能材料的热点火理论

在第 1 章中分析了激光对含能材料的各种作用，如前所述，其中激光对含能材料的热作用和激光点火的热机理是最受关注的。因此，本章将对含能材料的热点火理论及求解方法做进一步分析与探讨。

2.1　基本模型与数学描述

2.1.1　基本模型

就物理及物理化学性质而言，热点火基本理论的基础见关于点火的最简单的模型中。这个模型所考虑的基本特性如下：

（1）由点火所导致的化学反应仅仅在初始物质被加热的那一层（即表面附近）中进行。加热层的厚度被认为远远小于物体表面曲率半径和物体大小。这样就可把点火的物质形象地看做具有平展表面的半无限大空间。我们把这种情况称为半无限大区域的热点火，相应的理论称为半无限大区域的热点火理论。

（2）除了化学反应，物质中没有体积热源，对该物质的加热只通过表面而进行。物体在加热区域保持不动，并且没有相变。但对环境的热惯性没有特别要求。热源的作用可借助表面条件予以确切表述，但热源的作用时间比点火延滞期要长。

（3）点火时反应物质的转变率很低，因此化学动力学规律可以由"零级"反应描述（即不考虑反应物质的消耗，认为反应物浓度是一个常数）。

(4)物质的整体物理性质（导热系数λ，密度ρ，热容 C）、化学性质（活化能 E，指前因子 A，反应热 Q）以及加热条件在整个点火过程中保持不变（都是常数）。

2.1.2　物理模型的数学描述

描述上述基本物理模型的方程是能量守恒方程：

$$\rho c_v \frac{\partial T}{\partial t} = \lambda \frac{\partial^2 T}{\partial X^2} + QAe^{-E/RT} \quad (0 \leqslant X \leqslant \infty) \quad (2\text{-}1)$$

初始条件

$$t = 0 , \quad T = T_i$$

式中　T——温度；

　　　t——时间；

　　　X——离开坐标原点的距离；

　　　T_i——初始温度；

　　　R——气体常数。

热点火理论只考虑这样的情况，在这些情况中化学反应在温度为初始温度 T_i 时不很剧烈，即点火延滞期远小于温度为 T_i 时的热爆炸绝热延滞期 t_{ad}。

$$t_{ad}(T_i) = \frac{RT_i^2}{E} \frac{c_v \rho}{QA} e^{E/RT_s} \quad (2\text{-}2)$$

表面处（$x = 0$）的条件可能是多种多样的，随着加热机理的不同而不同。在基本理论中，主要考虑的是以下两种边界条件（$x = 0$）：

(1) $T_s = T_0 =$ 常数。这个条件表示表面温度 T_s 是一个常数 $T_0(T_0 > T_s)$；热流在表面上随时间而减小。

(2) $-\lambda \frac{\partial T}{\partial x}\Big|_s = q_0 =$ 常数。这个条件表示通过表面的热流

$-\lambda \dfrac{\partial T}{\partial x}$ 是一个常数 q_0，表面温度随时间而升高。根据 Frank-Kamenetskii 的热自燃理论，通常考虑下面的无量纲量：

$$\theta = (T - T_*) / (RT_*^2 / E) \quad (\text{无量纲温度}) \qquad (2\text{-}3a)$$

$$\rho = x / x_* \quad (\text{无量纲坐标}) \qquad (2\text{-}3b)$$

$$\tau = t / t_{ad}(T_*) \quad (\text{无量纲时间}) \qquad (2\text{-}3c)$$

式中　T_*——一个标量点火温度；

　　　x_*——一个关于化学反应区宽度的尺度，

$$x_* = \left(\frac{RT_*^2}{E} \frac{\lambda}{QA} e^{E/RT_*} \right)^{1/2} ;$$

$t_{ad}(T_*)$——温度为 T_* 时的绝热热爆炸延滞期，由式(2-2)
　　　　　　计算。

根据上述无量纲参数，占据半无限大区域平板模型的点火方程(2-1)可写为如下无量纲形式

$$\frac{\partial \theta}{\partial \tau} = \frac{\partial^2 \theta}{\partial \rho^2} + \exp[\theta/(1+\varepsilon\theta)] \qquad (2\text{-}4)$$

初始条件为 $\tau = 0$，$\theta = -\theta$，边界条件为

$$\rho \to \infty , \quad \frac{\partial \theta}{\partial \rho} \to 0 ;$$

$$\rho = 0 , \quad \theta = \theta_0 \text{ 或 } \frac{\partial \theta}{\partial \rho} = -\sigma_0$$

在热点火基本理论中主要的相似准则是参数 θ_i（称为无量纲初始温度）

$$\theta_i = (T_* - T_i) / (RT_*^2 / E) \qquad (2\text{-}5)$$

对于点火，与热爆炸的情况相反，θ_i总是大于零。θ_i越大，点火特性越显著，与热爆炸理论中的情况相似。$\varepsilon = RT_* / E$（无量纲活化能）是一个修正值，通常考虑它的极限情况 $\varepsilon = 0$（称为指数近似）。参数 θ_0 和 σ_0 分别为

$$\theta_0 = (T_0 - T_*) / (RT_*^2 / E) \quad （无量纲表面温度）$$

$$\sigma_0 = (q_0 x_* / \lambda) / (RT_*^2 / E) \quad （无量纲表面热流）$$

二者并不是重要的相似准则，因为它们的数量级取决于温度 T_*。

在热点火理论中，数学计算的目的是要决定物质中非稳定温度场，$\theta(\rho, \tau, \theta_i)$ 以及过程的一些特性参数，例如点火延滞期 τ_{ign}，在点火时刻以前从热源获得的总热量 ω_{ign}，等等。

τ_{ign} 是通过点火物质中最高温度 θ_m 和时间 τ 关系曲线上的 θ_m 值所对应的时间来确定的。ω_{ign} 可根据加热条件的不同，用不同的方法定义。下面的定义是最常用的一个(尽管不很严格)：

$$\omega_{ign} = \int_0^\infty [\hat{\theta}(\rho, \tau_{ign} \, \theta_i) + \theta_i] \, d\rho \tag{2-6}$$

这里 $\hat{\theta}$ 是在其他条件相同的情况下，当被加热的物质是化学惰性物时相应的点火问题的解。

2.2　热点火基本问题

2.2.1　恒定表面温度情况下的点火

表面温度 T_0 是一个标量温度尺度，它控制化学反应进程。使用无量纲的量，对于恒定表面温度的情况，则有 $\theta_0 = \theta$。点火过程经历两个阶段：在第一阶段（$\tau < \tau^0$），化学反应并不显著，被

点火物质主要被由环境通过表面传递的热量而加热，即该物质的行为特点仿佛它是化学特性的。在这一阶段，一个逐渐加热的表面层在物体中形成。参数 τ^0 可以称为自加热酝酿期。在第二阶段 $(\tau > \tau^0)$，化学反应放出的热量变得重要起来，一个逐渐加强的"自加热"加热层出现了。在这种情况下，表面处的热流改变了它的方向，即该物体外的介质由加热源变成了吸热源。此时有一个热波离开表面，它的波幅由于热量的释放而增加，热点火发生在离开表面一定距离的地方。

利用有量纲的量，t_{ign} 的公式为

$$\ln \frac{t_{ign}}{T_0 - T_i} = \frac{E}{RT_0} + \ln\left[0.2 \frac{c_v \rho}{QA}\left(\frac{T_0 - T_i}{RT_0^2/E} + b\right)\right] \quad (2\text{-}7)$$

在分析点火延滞期 t_{ign} 和表面温度 T_0 的关系时，可以假设 θ_i 是 T_0 的弱函数，那么式（2-7）可以写成

$$\ln \frac{t_{ign}}{T_0 - T_i} = \frac{C_1}{T_0} + C_2 \quad (2\text{-}8)$$

这里 C_1 和 C_2 是常数。式(2-8)是一个具有很大实用意义的直线方程。

值得注意的是，在本问题中，表面温度 $T_s =$ 常数，那么 t_{ign} 就不依赖于导热系数 λ。当 t_{ign} 保持不变时，导热系数 λ 越大，在 t_{ign} 时间内受加热层越厚。还值得一提的是，当采用相似理论对系统进行量纲分析时，不用求解方程也得到了同样的结果。

从非稳定导热理论，得到在点火时刻以前被加热层从热源获得的总热量 ω_{ign} 的表达式为

$$\omega_{ign} = 2\theta_i (t_{ign}/\pi)^{1/2} \quad (2\text{-}9)$$

2.2.2　恒定热流情况下的点火

缺乏对系统中具体温度的了解是这一情况的主要特点，而温度决定了在本问题的条件下点火时的化学反应速率。表面温度持续不断地增加，但是在什么样的温度下，化学反应就变得重要了，这是事情发生前并不知道的。

将 $T_s(t)$ 曲线拐点的值 T_b 作为标量温度尺度 T_* 是方便的（因为拐点是由化学反应导致的）。可由下述条件决定 T_*，即

$$\dot{\theta}_s(\tau_*, \sigma_0, \theta_i, \varepsilon) = 0$$

$$\ddot{\theta}_s(\tau_*, \sigma_0, \theta_i, \varepsilon) = 0$$

或

$$\sigma_0 = \sigma_0(\theta_i, \varepsilon)$$

式中　τ_* ——τ 的临界值。

根据 Averson，Barzykin 和 Merzhanov 的计算，$\sigma_0(\theta_i, \varepsilon)$ 的相互依赖关系很薄弱，可以假定 $\sigma_0 \approx$ 常数。换句话说，计算 T_* 时，可以假定外界热源流入的热流速率和化学反应释放热速率之间有一个确定的关系。根据文献[13]的数据，得

$$\sigma_0 = q_0 \left(\frac{E}{RT_b^2} \cdot \frac{1}{\lambda QA} e^{E/RT_b} \right)^{1/2} \approx 4.2 \qquad (2\text{-}10)$$

由式（2-10）可知点火的标量温度尺度随加热强度的增加而增加。

在点火理论中，标量温度尺度的选择是很重要的。如果把一个非点火过程特性曲线上的温度作为标量温度尺度，就不可能合理地考虑 $\varepsilon = 0$ 的极限情况（即指数近似），此时点火特性曲线更强烈地依赖于 ε 的具体值。

最高温度（但并不是数学意义上的极大值）出现在表面处。由分析可以看出，在这种情况下点火历程分为两个部分，分界线在 $\tau = \tau_b$。其中 τ_b 定义如下：

$$\tau_b = [t / t_{ad}(T_*)]_{T=T_b}$$

对恒定热流点火进行了数值研究，得到了一个无量纲释热，活化能和点火延滞期的经验公式，即

$$K_0 = (E')^{1/2}(\pi\tau_c)^{-1/4}[1 + 2(\tau_0/\pi)^{1/2}]^{-1}\exp[E'/(1 + 2(\tau_c/\pi)^{1/2})]$$

式中的无量纲量如下：

$$K_0 = QA\lambda T_i / q_0^2$$

$$E' = ER / T_i$$

$$\tau_c = q_0^2 t_c / (\lambda\rho c_v T_i^2)$$

式中　t_c——临界点火延滞期。

2.2.3　两种加热方式点火特性的比较

为避免错误的结论，应该利用有量纲的量进行比较。作为计算所必需的初始数据，下面给出硝化棉的相应的值：

$$QA = 17.67 \times 10^{21} \text{ J} / (\text{g} \cdot \text{s})$$

$$E = 48\,500 \text{ J/mol}$$

$$\rho = 1.5 \text{ g/cm}^3$$

$$c_v = 1.2 \ \text{J}/\,(\text{g} \cdot \text{K})$$

$$\lambda = 12.54 \times 10^{-4} \ \text{J}\,/\,(\text{cm} \cdot \text{s} \cdot \text{T})$$

现在对所考虑的两种情况，比较 t_{ign} 和 $Q_{ign} = \int_0^{t_{ign}} q_s(t)\mathrm{d}t$。假定 $T_i = 300$ K。可以证明：

(1) 被同样的热脉冲即 $Q_{ign}^{\mathrm{I}} = Q_{ign}^{\mathrm{II}}$ 点火时，恒定表面温度时的点火延滞期要比恒定热流时的短，因为 $T_s = $ 常数这种情况意味着从外热源可得到一个较强的热量供应。

(2) 假定延滞期相等，$t_{ign}^{\mathrm{I}} = t_{ign}^{\mathrm{II}}$，在 $T_s = $ 常数时，点火温度值 T_{ign} 比表面上入射能量 $q_0 = $ 常数时要低。

2.3　计算热点火特性参数的近似方法

2.3.1　标量温度尺度

在进一步分析点火特性之前，先讨论求解热点火方程和计算特性参数的若干近似方法。所有现用的近似方法都建立在点火过程的一个基本特性上，即在延滞期的主要部分中任何化学反应都是很微弱的。因此，所有的近似方法都以化学惰性物质的非稳定导热方程的分析解作为开始。值得提出的是非稳定导热理论的论述现已达到了很高的水平，并且在一定程度上，使得近似的热点火理论的发展有了基础。

在上面引入了标量点火温度尺度，它表示了 $T_s(t)$ 曲线拐点处的温度。当考虑近似方法时，用不同的方法引入标量温度尺度是更为有利的。下面定义一个特征温度，它相当于延滞期结束瞬间化学惰性物质的最高温度。在除了化学反应外无体积热源的情况下，最高温度见于表面，并且该温度尺度由下列条件决定：

$$T_* = \hat{T}_s(t_{ign}) \qquad (2\text{-}11)$$

式中　　$\hat{T}_s$ —— 在相同条件下化学惰性物质的解。

在有外部热能被整体吸收时（例如当半透明物体被辐射能流加热时），一个极大值温度将随加热层的产生而产生。那么：

$$T_* = \hat{T}(x_{m,}\,t_{ign})$$

这里 x_m 可由惰性物质问题的解求得。这样得到的 T_* 将用 T_{ign} 表示，并且在下面将被称为点火温度，将其作为该过程的一个特性参数。因为 $\hat{T}_s$ 随时间增加而减小，并且自热时间很短，那么 T_{ign} 和 T_b 之间的区别很小（大约是特征温度 RT_*^2/E 的 2～3 倍）。

从物理的观点来看，上面两种确定 T_* 的方法都是合理的。第二种方法（$T_* = T_{ign}$）在程序方面稍为复杂，但更普适（当温度拐点或者不出现，或者不与化学反应相关联时，它可以用于更复杂的加热方式）。

对于 T_s = 常数的情况，延滞期的下述表达式可由式（2-4）导出

$$\tau_{ign} = f(\theta_i) \qquad (2\text{-}12)$$

在 q_s = 常数时，由式（2-4）的解可得到

$$\tau_{ign} = \psi(\theta_i, \sigma_0) \qquad (2\text{-}13)$$

而由边界条件可得

$$\theta_i = 2\sigma_0(\tau_{ign} / \pi)^{1/2} \qquad (2\text{-}14)$$

同步考虑上述式（2-13）和式（2-14），可以确定 I_{ign} 和 $\tau_{ign}(\theta_i)$。加上表示 σ_0 和 θ_i 关系的函数

$$F(\sigma_0, \theta_i) = 0 \qquad (2\text{-}15)$$

确定 τ_{ign} 的公式也可以写成

$$\tau_{ign} = \pi\theta_i^2 / (4\sigma_0^2)$$

这样一来，计算工作简化为只需确定函数 f 和 F 的形式。

2.3.2 "临界条件"法

具有化学反应热源的非线性导热方程不可能求分析解，为此需要利用化学惰性体导热方程的解。从特别的公式化临界条件可得到点火时间，这个临界条件涉及到化学反应的动力学参数和惰性物质中的热流场的特性。所有对该方法的改造，都源于临界条件的各种表达，这些临界条件是从物理考虑或从特殊问题的数值解的结果而得到的。

Hicks 在计算具有与温度为常数的外热源进行牛顿热交换的点火问题时（在接近于恒定热流点火情况的条件下），提出了如下的临界条件表达式：

$$\frac{QA\exp[-E / R\hat{T}_s(t_{ign})]}{c_v\rho\hat{T}_s(t_{ign}) + QA\exp[-E / R\hat{T}_s(t_{ign})]} = 0.833$$

上式中的系数值 0.833 是在所研究的参数范围内从计算机数值结果中选出来的。利用前面所介绍的无量纲量，可以知道 Hicks 给出的临界条件为

$$\hat{\theta}_s(\tau_{ign}) = 0.2$$

那么可得到函数 F 为

$$F = \pi \theta_i - 10\sigma_0^2 \tag{2-16}$$

上述临界条件在原则上不适用于具有给定表面温度的问题。

2.3.3 分阶段法

点火过程可以分为两个阶段。根据近似的物理图像，每一阶段可以分别分析地描述。利用特殊的考虑，每个阶段所得到的结果被连接在一起。首先是在描述第一阶段时，忽略化学反应，而在第二阶段则不考虑导热。这样做是假定这两种因素同时都重要的阶段的持续时间远小于延滞期。

2.3.4 逐步近似法

在这种方法中，考虑化学反应的导热方程可由纯粹数学的方法得到解决。

Enig 提出了在给定初始和边界条件时解方程

$$\frac{\partial \theta}{\partial \tau} = \frac{\partial^2 \theta}{\partial \rho^2} + e^\theta$$

的下列逐步近似顺序：

（1）零级近似

$$e^\theta \approx 0, \qquad \theta = \hat{\theta}(\rho, \tau, \theta_i)$$

（2）一级近似

$$e^\theta = e^{\hat{\theta}}, \qquad \theta = \theta_I(\rho, \tau, \theta_i)$$

（3）二级近似

$$e^\theta = e_I^\theta, \qquad \theta = \theta_{II}(\rho, \tau, \theta_i)$$

等，最终就得到了接近于精确解的解。

上述方法的主要优点在于用解线性的导热方程代替了解非线性方程，这是因为在每步近似中，热释放的温度函数被一个与空间坐标和时间有关的函数所取代了。

以上简要介绍的临界条件法、分阶段法(或分段法)、逐步近似法等几种方法，对于研究热点火的临界值等有关问题都是有效和可行的。本书将在第 5 章中较详细地阐述用数值计算的方法解决热点火的临界值等一系列有关问题。

第3章 激光点火实验方法

本章主要阐述激光点火的实践和技术问题。当以激光二极管点火实验为例讨论问题时，其方法和结论亦不失激光点火（使用其他激光器点火）的一般性。

3.1 激光二极管点火系统

3.1.1 激光二极管点火系统的组成

实用的激光二极管点火系统主要由 3 部分组成：①保险与解除保险装置；②光纤耦合的激光二极管；③点火器。保险与解除保险装置控制并启动激光二极管驱动器，激光二极管驱动器提供驱动电流使激光二极管工作，激光二极管发出的激光通过光纤传输到点火器，点燃点火药，点火药燃烧释放的能量传递到下一级，完成预定的做功任务。图 3-1 是激光二极管点火系统组成示意图，其中光纤连接器起到将激光分束的作用。对于激光多点点火来说，光纤连接器是必不可少的。

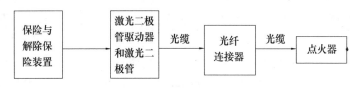

图 3-1 激光二极管点火系统组成示意

3.1.2 激光二极管特性

在激光二极管点火系统中，激光二极管的性能好坏直接关系到激光点火的成败。

激光二极管是以电流激励方式工作的半导体激光器。半导体激光器的工作物质是半导体材料，最基本而常用的有 GaAs（砷化镓）等。GaAs 晶体的晶格结构属金刚石结构。对于最简单的同质结 GaAs 半导体激光器，通常采用扩散法或外延法在 N 型 GaAs 衬底上生长一层 P 型 GaAs 的薄层而形成 P-N 结。由于重掺杂形成了高浓度的载流子，从而使粒子数反转分布条件得以满足。在正向电压作用下，P-N 结的自建电场被削弱，势垒降低，非平衡载流子增多。电子从高能态的导带向低能态的价带跃迁并与空穴复合，多余的能量以光子的形式放出。最常用的谐振腔是由垂直于 P-N 结的两个严格相互平行的 (100) 解理面构成的 F-P（Fabry-Perot）光学谐振腔。光子在谐振腔中振荡，诱发更多的受激辐射光子，形成光放大，达到稳定的激光输出。图 3-2 是同质结（即同种材料构成的 P-N 结）半导体激光器工作原理示意图。

图 3-3 是 GaAs 激光二极管的典型外形结构图。图 3-4 表示激光二极管发出的激光束在 X 和 Y 两个方向上具有不同的发散角，并且在垂直于结平面的方向（Y 方向）上发散角更大[77]。

同质结半导体激光器的阈值电流高且输出功率小（mW级）。因此，采用多异质结和量子阱等技术，不仅可以降低阈值电流，实现室温下连续工作，而且输出功率可高达数十瓦量级。

用于点火的激光二极管应当具有高功率、高效率、最佳波长、连续输出或合适的脉宽、良好的温度特性以及较强的环境适应能力等特性。

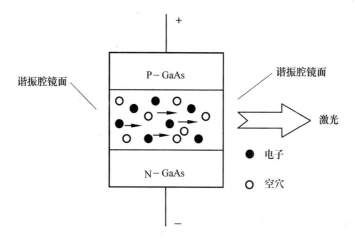

图 3-2　同质结半导体激光器工作原理

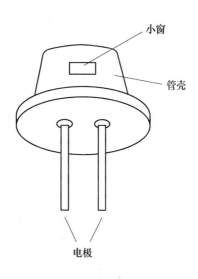

图 3-3　同质结激光二极管的外形

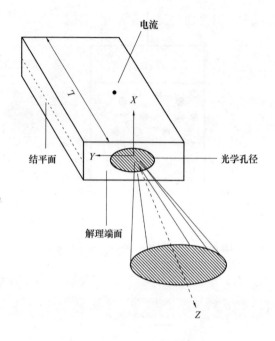

图 3-4　激光二极管发出的激光束

3.1.3　耦合光纤及其传输特性

在激光二极管点火系统中，如果把激光二极管比做点火系统的心脏，那么耦合光纤就相当于动脉。首先，激光二极管产生的椭圆形激光束从窗口输出，通过聚焦等技术处理被耦合进光纤；激光通过耦合光纤输送到光纤连接器，在这里分束或调整能量；然后再通过耦合光纤将激光传输到点火器。显然，耦合光纤首先应具有良好的光学特性，保持低衰减和小发散角。

为降低传输损耗，光纤应由纤芯和包层两部分构成，如图 3-5 所示。纤芯折射率略高于包层折射率，即 $n_1 > n_2$。

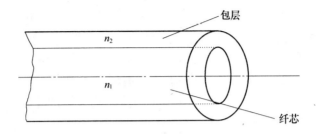

图 3-5　光纤结构示意图

图 3-6 是对应全反射临界角的子午线入射光光路示意图，图中角 φ 表示发生全反射的临界角。不难推想，在端面入射光线中，凡是落入半锥角为 θ_0 的圆锥角以内的入射光线，均可在光纤中形成受导光线。光纤的数值孔径 NA（Numerical Aperture）定义为

$$NA=n_0\sin\theta_0 \qquad\qquad (3\text{-}1)$$

因空气的折射率 $n_0=1$，式(3-1)也可以写成

$$NA=\sin\theta_0 \qquad\qquad (3\text{-}2)$$

由 Snell 定理和临界全反射条件不难推出

$$NA=(n_1{}^2-n_2{}^2)^{1/2} \qquad\qquad (3\text{-}3)$$

由图 3-6 和式(3-2)易于看出，光纤的数值孔径 NA 的大小既表征光纤的受光能力，同时又反映了光纤输出光束的发散程度。光纤的数值孔径越大，则受光角度范围越大，同时出射光束的发散角也越大。对于激光二极管点火来说，点火光纤的数值孔径不宜过大。

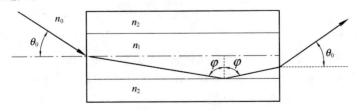

图 3-6　对应全反射临界角 φ 的子午线入射光光路示意图

光纤按其材料种类分，主要有全石英光纤、塑包石英光纤和全塑光纤 3 种；按折射率分布分类，可分为阶跃折射率 SI（Step Index）分布光纤和渐变（梯度）折射率 GI（Graded Index）分布光纤两种。阶跃折射率光纤的芯区折射率 n_1 是常数，包层折射率 n_2（常数）略低于 n_1。两种折射率呈阶跃式变化，折射率分布规律为

$$n(r) = \begin{cases} n_1 & (r < a) \\ n_2 & (r \geq a) \end{cases} \qquad (3\text{-}4)$$

渐变折射率光纤的芯区折射率不是常数，而是由中心轴处的最大值 n_1 沿半径逐渐减小，至芯半径 a 处即界面处，降为包层折射率 n_2。折射率变化的规律可以用幂函数表示为[78]

$$n(r) = \begin{cases} n_1[1 - 2\Delta(r/a)^\alpha]^{1/2} & (r < a) \\ n_1(1 - 2\Delta)^{1/2} = n_2 & (r \geq a) \end{cases} \qquad (3\text{-}5)$$

Δ 是光纤的相对折射率差，其定义为

$$\Delta = \frac{n_1^2 - n_2^2}{2n_1^2} \qquad (3\text{-}6)$$

当 n_1 与 n_2 相差不大时，有

$$\Delta = \frac{n_1^2 - n_2^2}{2n_1^2} \approx \frac{n_1 - n_2}{n_1}$$

幂指数 α 是表征折射率分布函数曲线形状的参量（如图 3-7 所示）。$\alpha = 1$ 表示三角形折射率分布；$\alpha = 2$ 表示抛物线形折射率分布；$\alpha = \infty$ 表示阶跃折射率分布。

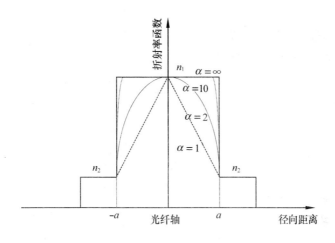

图 3-7 不同 α 值的渐变折射率分布光纤

图 3-8 和图 3-9 分别是使用作图软件绘出的 $\alpha=1$ 和 $\alpha=2$ 的渐变折射率光纤的纤芯折射率分布曲线（取 $n_1=1.60, n_2=1.40, r=50\ \mu m$），曲线形状分别为三角形和抛物线形（只绘出半支）。

抛物线分布型渐变折射率光纤传输的激光能量分布接近Gauss 分布，即在光纤轴附近具有更高的光能量密度，也就是说激光能量更为集中。因此，使用渐变折射率分布光纤对点火更有利[79]。

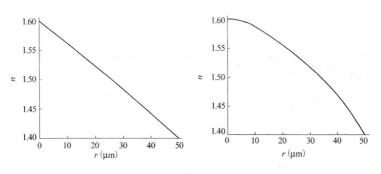

图 3-8 $\alpha=1$ 的渐变折射率分布光纤　图 3-9 $\alpha=2$ 的渐变折射率分布光纤

由于激光在光纤中不可避免地会产生散射、透射和吸收等现象，导致光纤传输激光功率随光纤长度的增加而衰减。通常用 dB 数来表示衰减度。dB 值用下式计算：

$$dB = 10\lg(P_0 / P) \tag{3-7}$$

式中　P_0——衰减前的激光功率；

　　　P——衰减后的激光功率。

对于由传输长度引起的衰减，P_0 表示光纤中 $x=0$ 处的激光功率，P 是激光从 $x=0$ 传播到 $x=x$ 处的功率。由式(3-7)可知，$P(x)$ 和 P_0 的关系满足

$$P(x) = P_0 e^{-dB_{km} \cdot \frac{\ln 10}{10} \cdot x} \tag{3-8}$$

式中　dB_{km}——每千米衰减的 dB 数；

　　　x 以 km 为单位。

当耦合光纤足够长时，即使光纤的 dB_{km} 值较小，光纤长度引起的衰减也不可忽视。例如，对于衰减度为 3 dB / km 的光纤，由式(3-8)或式(3-7)不难算出，当激光在光纤中传输 1 km 的距离时，激光功率将衰减掉约 50%。

光纤耦合引起的衰减不容忽视。激光二极管与光纤的耦合、光纤与光纤之间的耦合、光纤与点火器之间的耦合都存在能量损失。为减少此类损失，必须在耦合时提高聚焦、准直、光纤端面抛光、紧配合及固定密封等技术水平。目前，长度衰减可降至 5 dB / km 以下，耦合衰减可控制在 1 dB 内。

通过选择合适的纤芯及包层材料以及改进耦合技术等途径，可以减小数值孔径、降低衰减、提高能量集聚度，同时还可以获得光纤良好的机械性能、化学性能和热性能，使之具有更高的效率和更强的环境适应能力。

3.1.4 与光纤耦合的点火器

在激光二极管点火系统中，激光二极管输出的激光是通过光纤传输给点火药的。光纤与点火药的耦合方式可以是直接接触，也可以通过光纤脚元件及窗口元件实现耦合。图 3-10 是与光纤耦合的点火器装置示意图，光纤与点火药之间使用了蓝宝石窗口。

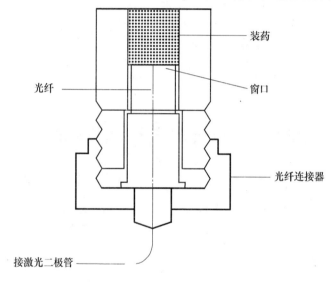

装药

窗口

光纤

光纤连接器

接激光二极管

图 3-10　与光纤耦合的点火器示意图

为了减少激光能量的损失，在激光点火实验中，也可采用将点火光纤直接插入药剂的耦合方法。

3.2　激光点火实验装置及原理

本节主要阐述使用小功率（对点火而言）激光二极管，对钛／高氯酸钾($Ti／KClO_4$)、锆／高氯酸钾（$Zr／KClO_4$)和斯蒂酚酸铅(2，4，6-三硝基间苯二酚铅)等进行的点火实验；并研究药剂密度、粒度、配比以及激光功率等因素对点火的影响。实验用激光二极管的激光波长为 980 nm(属近红外波段)；最大输出功率为 0.5 W，功率连续可调；光纤芯径 200 μm；脉宽分 1、10、20、50、100 ms 和连续输出几种。借助光电转换器和示波器测定点火时间，进而分析各因素对药剂激光感度的影响。

3.2.1　实验装置与原理

图 3-11 是激光二极管点火实验系统 a 示意图。实验系统主要

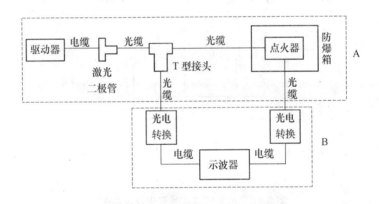

图 3-11　激光二极管点火实验系统 a 示意图

由 A、B 两大部分组成，即虚线框 A 内点火部分和虚线框 B 内测试部分。A 部分的作用是激光二极管驱动器为激光二极管提供合适的脉冲或连续电压，使激光二极管产生激光，通过光纤传输到被封装的药剂中，实现点火；B 部分的作用是确认点火并测定点火时间，主要由光电探测器、示波器、光纤和导线组成。激光二极管驱动器接 220V 交流电源，通过其内部的充、放电控制及整

流电路，向激光二极管输出合适脉宽和合适波形的激励电流，使激光二极管产生相同脉宽的激光。通过改变激励电流的脉宽和强度，可以改变激光二极管输出激光的脉宽和功率[80]。

光电探测器的核心是光电晶体管。光电晶体管的外形有光窗、集电极引出线和发射极引出线等。光电晶体管原理性结构如图3-12所示。正常使用时，集电极加正电压，集电结为反偏置。当光照到集电结上时，集电结产生光电流向基区注入，同时在集电极电路产生一个被放大的电流。

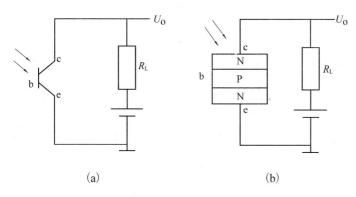

(a)   (b)

图 3-12   光电晶体管原理性结构图

点火时间是指从激光开始对含能材料作用直到材料开始燃烧爆炸(发光)所经历的时间。激光开始作用时的信号和材料燃烧发光的信号经光电转换装置转换而成为电信号并被同一台示波器接收，读取这两个信号触发时间的间隔Δt 即点火时间 t_i。

对于小功率(如1 W以下)激光二极管点火，必须尽可能减少能量损失，以保证有足够的激光能量用于点火。而尽可能地避免采用光纤之间耦合是减少能量损失的重要途径之一。图3-11中的

T 型接头带来的能量损失一般在 1 dB 以上，也就是说传输到含能材料的激光功率将减少约 20%，这是无法接受的。为此，对图 3-11 所示的理想实验系统 a 进行了改进，图 3-13 所示为改进后的实用实验系统 b。与系统 a 相比，系统 b 去掉了 T 型光纤连接器，激光初始信号的采集被激光二极管上驱动电压信号的采集所取代。这样处理的可行性是基于以下的考虑：激光二极管的响应时间（从激光二极管开始获得驱动电流到正常输出激光所经历的时间）是 ns 量级，而点火时间为 ms 量级（光电转换器和示波器的响应时间在μs 量级以下）。

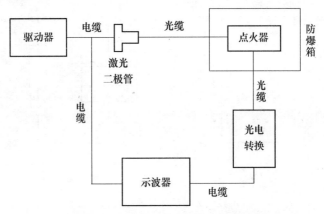

图 3-13　激光二极管点火实验系统 b 示意图

图 3-14 是根据实验中示波器上采集到的激光二极管驱动电压信号波形（如图 3-14 中曲线 a 所示）和药剂燃烧发光信号转变的电信号波形（如图 3-14 中曲线 b 所示）。读取信号 a 和信号 b 的触发时间之差，就是点火时间。

3.2.2　确定药剂激光点火能量的方法

药剂的激光点火感度是以药剂的激光点火能量值大小来表征

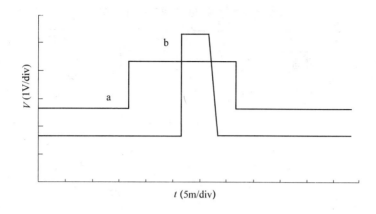

图 3-14　示波器上采集到的两个信号波形

的，而点火能量值则是通过感度试验来确定的。用于含能材料感度试验的方法有多种，如升降法、兰格利法、OSTR 法[81]等。在实际的实验研究中，考虑到所使用的激光二极管功率偏小，功率可调节的范围有限，同时激光二极管的脉宽不能连续可调；而且激光二极管的耦合光纤长度有限，点火试验的次数受到限制(因为每次点燃都要损失一段光纤)，所以试验中采用了一种替代的方法，即通过测定点火时间来计算点火能量。设点火时激光二极管的光纤输出功率为 P，测得的点火时间为 t_i，由于每一发点火试验的激光功率可视为不变（矩形脉冲），故点火能量 E_i 可近似用下式计算：

$$E_i = P \cdot t_i \tag{3-9}$$

为了验证上述替代方法是否可行，与升降法结果进行了比较。表 3-1 列出了用升降法和替代方法得到的点火能量值。结果表明，用替代方法即用点火时间来推算点火能量的方法得到的结果与升降法得到的结果很接近，相对误差在 5%以下。从理论上讲，小功率激光二极管点火的激光作用时间较长，所以上述替代方法是合理和可行的。

表 3-1　两种方法得到的点火能量值比较　　　（单位：mJ）

名称	感度试验方法（升降法）	替代方法
锆／高氯酸钾	8.4	8.5
斯蒂酚酸铅	4.3	4.5

3.3　点火药的制备

　　实验所用的点火药主要有 Zr／KClO$_4$ 和 Ti／KClO$_4$。将锆粉、钛粉和高氯酸钾等分别筛分后，按一定比例混合。装药方式主要有两种：一种方式是先将药压装在金属壳（火帽壳）中，然后将压装好的药嵌入圆柱形空腔的本体（有机玻璃）内，用密封盖旋紧；点火光缆穿过密封盖上的小孔插入药剂中，光缆和孔之间的间隙用环氧树脂密封。装药结构Ⅰ如图 3-15 所示。另一种方式是直接将药压装在圆柱形空腔的本体内，后续操作同前。装药结构Ⅱ如图 3-16 所示。

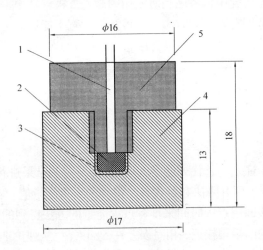

图 3-15　点火药装药结构Ⅰ示意图（单位：mm）

1—光纤；2—点火药；3—金属壳；4—本体；5—密封盖

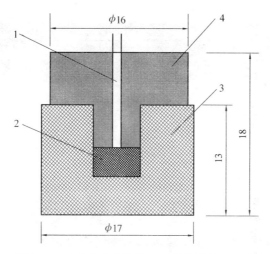

图 3-16　点火药装药结构 II 示意图(单位：mm)

1—光纤；2—点火药；3—本体；4—密封盖

图 3-17 ~ 图 3-20 是实验装置、仪器和部分元器件照片。图 3-17 是实验装置的一部分，其中自左至右分别是带耦合光纤的激光二极管、激光二极管驱动器和示波器；图 3-18 是实验用激光二极管驱动器和带耦合光纤的激光二极管；图 3-19 是光电探测器；图 3-20 是压装药剂所用的模具等。

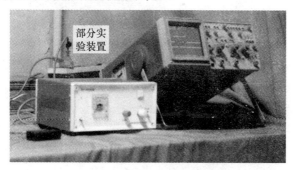

图 3-17　实验装置的一部分

图 3-18 激光二极管驱动器和带耦合光纤的激光二极管

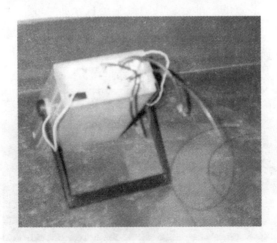

图 3-19 光电探测器

图 3-20　压装药部分器件

3.4　激光点火实验结果

通过改变激光功率和脉宽等手段，测得了 Zr / KClO$_4$ 等点火药在不同条件下的点火时间，研究了激光点火能量与点火药剂密度、粒度、组分配比以及激光功率等因素之间的关系，并得到了上述因素对药剂激光点火感度的影响。

对 3 种不同配比即锆与高氯酸钾的质量比分别为 1∶1、1∶1.2、1∶0.76 的 Zr / KClO$_4$ 进行了点火实验。表 3-2 给出了粒度一定、不同激光功率和不同配比的 Zr / KClO$_4$ 的临界点火能量值。

从表 3-2 可以看出，在粒度、装药压力、激光功率等条件相同的情况下，以锆与高氯酸钾的质量比为 1∶1 时的临界点火能量为最小。

表 3-2 所列实验结果不仅反映了配比对点火的影响，而且反映出激光功率对点火的影响。表 3-3 列出了质量比为 1∶1 的 Zr / KClO$_4$ 在不同激光功率下的临界点火能量。从表中可清楚地看出，对于同一种材料，随着激光二极管光纤输出功率的减小，临界点火能量增加。另外，综合表 3-2 和表 3-3 可以看出，当激光功率为

0.3 W 时，质量比为 1:0.76 的点火能量不存在；而激光功率小于 0.3 W，质量比为 1:1 时，即使增加激光的作用时间也不可能点火。这意味着，对于给定的样品存在一个临界激光点火功率。

表 3-2　3 种不同配比 Zr／KClO$_4$ 的临界点火能量

Zr／KClO$_4$ 粒度 （μm）	装药压力 （MPa）	激光功率 （W）	Zr／KClO$_4$ 质量比	临界点火能量 （mJ）
			1:1	8.5
		0.5	1:1.2	8.8
			1:0.76	9.1
			1:1	9.3
52／37	16	0.4	1:1.2	9.8
			1:0.76	10.2
			1:1	12.1
		0.3	1:1.2	13.1
			1:0.76	—

表 3-3　不同激光功率下 Zr／KClO$_4$（1:1）的临界点火能量

Zr／KClO$_4$ 粒度 （μm）	装药压力 （MPa）	激光功率 （W）	临界点火能量 （mJ）
		0.50	8.5
		0.45	8.8
		0.40	9.3
52／37	16	0.35	10.1
		0.30	12.1
		<0.3	—

图 3-21 是根据实验结果绘制的 Zr／KClO$_4$（1:1）的临界点火能量与激光功率的关系曲线。从图中可以看出，Zr／KClO$_4$（1:1）的临界点火能量随着入射激光功率的增大而减小，并且曲线的变化趋势逐渐趋于平缓。

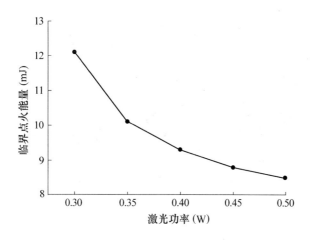

图 3-21　Zr / KClO$_4$(1∶1)临界点火能量与激光功率的关系

　　对 Ti / KClO$_4$(质量比 1∶2)的点火实验也得到了类似的结果。表 3-4 列出了不同激光功率下 Ti / KClO$_4$(质量比 1∶2)的临界点火能量。当激光功率小于 0.35 W 时，即使激光作用时间充分长，也不能点燃 Ti / KClO$_4$。临界点火能量与入射激光功率的关系如图 3-22 所示。

表 3-4　不同激光功率下 Ti／KClO$_4$(1∶2)的临界点火能量

Ti / KClO$_4$ 粒度 (μm)	装药压力 (MPa)	激光功率 (W)	临界点火能量 (mJ)
52 / 37	16	0.55	9.1
		0.50	9.4
		0.45	10.1
		0.40	11.8
		0.35	13.6
		<0.35	—

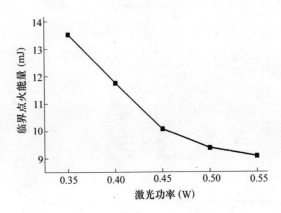

图 3-22　Ti／KClO₄(1∶2)临界点火能量与激光功率的关系

关于密度(或压药压力)对临界点火能量的影响也进行了实验研究，实验结果列于表 3-5 中，所用激光二极管光纤输出功率为 0.5 W。Zr／KClO₄ 临界点火能量随压药压力的变化关系如图 3-23 所示。

表 3-5　不同压药压力下 Zr／KClO₄(1∶1)的临界激光点火能量

激光功率 (W)	Zr／KClO₄粒度 (μm)	装药压力 (MPa)	临界点火能量 (mJ)
		16.0	8.5
		23.7	8.9
0.5	37／52	31.4	10.1
		39.8	13.8
		48.2	18.7

点火药剂的粒度对临界点火能量的影响如表 3-6 和图 3-24 所示。由图 3-24 可以看出，随着粒度的增大，临界点火能量呈现增大的趋势。

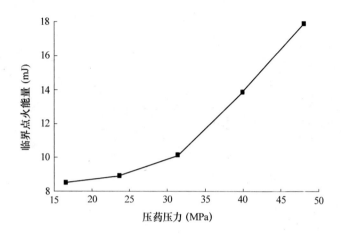

图 3-23　Zr／KClO₄ 临界点火能量随装药压力的变化的关系

表 3-6　不同粒度 Zr／KClO₄(1∶1) 的临界激光点火能量

激光功率 （W）	装药压力 （MPa）	KClO₄粒度 （μm）	临界点火能量 （mJ）
		37	8.5
		43	8.6
0.5	16.0	52	8.7
		61	8.9
		74	9.2
		104	9.4

　　在其他条件相同的情况下，使用密封盖和不使用密封盖对临界点火能量有明显的影响。如质量比为 1∶1 的 Zr／KClO₄ 临界点火能量，在有、无密封盖时分别为 8.5 mJ 和 13.6 mJ。

　　采用金属壳和有机玻璃壳装药(均为有密封盖)的点火实验表明，当激光功率为 0.5 W 时，Zr／KClO₄(1∶1)在两种约束条件下的临界点火能量均为 8.5 mJ。

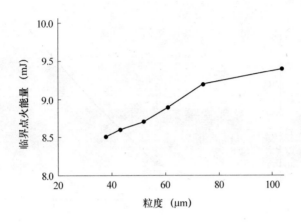

图 3-24　临界点火能量随粒度变化的关系

3.5　掺杂物对药剂激光点火感度的影响

半导体激光器具有体积小、效率高等明显优势，但相对于固体激光器和气体激光器而言，半导体激光器的输出功率较小。因此，为实现点火，常常需要考虑设法提高点火药的激光感度，即降低点火的阈值能量。为达此目的，掺杂是可采用的方法之一。

所谓掺杂就是在点火药中掺入少量的其他物质，这种掺入物通常是用以增加光吸收的。具体来说，比如加入碳黑或石墨以及光敏化剂等。有的掺杂物虽然不能增加点火药对激光的吸收，但可以作为催化剂而改变特定药剂的反应活性和化学反应机理，因此也能影响药剂的激光感度。

实验选择碳黑、石墨、氯化钾和石蜡 4 种物质[82]作为掺杂物，以 3%的质量比加入点火药 Zr / KClO$_4$ 中并均匀混合。Zr / KClO$_4$ 中的 Zr 和 KClO$_4$ 的粒径分别为 5.9 μm 和 7.05 μm，质量比为

50∶50。对比不同的掺杂物对激光点火感度和点火延迟时间的影响，实验结果见表3-7。

表3-7　掺杂物对 Zr∕KClO₄ 激光点火感度和点火延迟时间的影响

掺杂物	阈值功率 （W）	激光点火时间 （ms）
无	0.27	1.84
石墨	0.35	1.04
KCl	0.25	0.86
石蜡	0.27	0.80
碳黑	0.20	0.55

注：压药压力为 80 MPa。

以 3%的质量比将碳黑加入点火药 B∕KNO₃ 中均匀混合，B和 KNO₃ 的粒径分别为 0.8 μm 和 11.5 μm，质量比为 33∶67。研究掺杂碳黑对其激光点火感度和点火延迟时间的影响，实验结果见表3-8。

表3-8　掺杂碳黑对 B∕KNO₃ 激光点火感度和点火延迟时间的影响

掺杂物	阈值功率 （W）	激光点火时间 （ms）
无	0.25	3.4
碳黑	0.16	2.5

注：压药压力为 100 MPa。

由表3-7 和表3-8 的实验数据可以看出，4 种掺杂物中，只有碳黑能够显著降低 Zr∕KClO₄ 和 B∕KNO₃ 的点火功率阈值。碳黑对 Zr∕KClO₄ 点火延迟时间的缩短说明碳黑的确是一种极为有效的激光吸收剂，它的加入使药剂对激光的吸收率大大提高。KCl和石蜡基本上没有改变 Zr∕KClO₄ 的激光感度，但能够在一定程度上缩短其点火延迟时间，说明 KCl 和石蜡能够加快 Zr∕KClO₄

的化学反应速度。因为可燃剂和氧化剂的熔化特性是决定混合物燃烧速度的重要因素，而 KCl 能够降低 KClO$_4$ 的熔点，对 KClO$_4$ 的分解起到催化作用。因而，加入适量的 KCl 能够促使氧化剂分解反应迅速发生，从而达到缩短延迟时间的效果。石蜡能够提高以 KClO$_4$ 为氧化剂的混合物燃烧速度，因此掺入石蜡也能缩短 Zr / KClO$_4$ 的激光点火延迟时间。KCl 和石蜡均为白色，对激光的吸收系数较小，掺入少量的 KCl 和石蜡会使药剂的激光吸收系数有所降低，但由于 KCl 和石蜡对 Zr / KClO$_4$ 化学反应的催化作用，使反应在较低的能量下即可进行。上述两方面的综合效果使加入这两种掺杂物对药剂的激光感度没有明显改变，掺入石墨不但没有提高 Zr / KClO$_4$ 的激光感度，反而使其激光感度有较大幅度的降低。但掺入石墨可以缩短激光点火的延迟时间，原因是石墨较碳黑的颜色浅，不及碳黑的光吸收率高，且石墨多为片状，粒度较大，不易均匀分散在药剂中，在光纤直径较小的情况下，很容易出现光斑只照射在石墨"孤岛"上，同时石墨的导热系数较大，这些均不利于药剂中"热点"的形成，从而影响了药剂激光感度的提高。

3.6 影响推进剂激光点火延迟时间的若干因素

3.6.1 研究背景

火箭发动机是依靠本身携带的推进剂燃烧产生喷射物质的发动机。按能源种类分，有化学火箭发动机、核火箭发动机和电火箭发动机等。化学火箭发动机，按推进剂分有液体、固体、固液等火箭发动机，其特点是能在大气层和宇宙空间工作。

推进剂是使火箭发动机产生推力的燃烧剂和氧化剂的统称。

按物理状态分，有固体推进剂、液体推进剂、固液推进剂和核子推进剂等。固体推进剂因其具有装载体积小、使用方便等优点，而被广泛采用。同时，有关固体推进剂的性能及点火过程研究等也备受关注。

固体火箭发动机的点火过程对发动机初始阶段的推力和压力过渡过程有显著的影响，要准确地预示和控制点火过程中的推力，必须详细了解点火过渡过程。研究固体推进剂的点火特征，对于预示发动机的点火过渡过程是必不可少的。选用激光束作为固体推进剂的点火热源，能够独立于所有其他环境因素(如压力、初温和推进剂表面气相化学成分等)来选择施加于推进剂的热通量，从而可以更清楚地揭示推进剂的本质与点火特征之间的关系[83]。S. Yu 等曾对硝铵复合推进剂在快速增压下的点火性能进行了研究。研究发现，当增压速率增大时，硝铵推进剂开始汽化所需时间缩短；在相同条件下硝铵复合推进剂比 AP 推进剂更难点火。J. U. Kim 等对一系列 RDX 复合推进剂在快速增压下点火特征进行的研究表明：随着增压速率的增大，开始发光所需时间缩短，并且开始发光时间强烈地依赖于推进剂组分以及各组分含量。

文献[83]应用 CO_2 激光点火器研究了丁羟推进剂的氧含量、燃速以及 CO_2 激光点火器所提供的点火热通量与推进剂点火延迟时间的关系，同时还研究了含超细铝粉(UFAl)的丁羟推进剂的激光点火，取得了颇具价值的研究结果。

3.6.2 推进剂激光点火实验

3.6.2.1 推进剂样品的制备

按表 3-9 中配方将称量好的 HTPB、Al、RDX、AP、TDI 等组分按一定的时间间隔依次投入到 1l 卧式捏合机中，混合均匀后进行真空浇注，样品在 50 ℃下固化 7 天。

表 3-9　　几组丁羟推进剂配方组成　　　　　　　　　　（%）

| 配方号 | AP | RDX | Al | UFAl | TDI(燃速添加剂) | | | HTPB+其他 |
					草酸铵	Fe₂O₃	卡托辛	
1	86	—	—	—	—	—	—	14
2	68	—	18	—	—	—	—	14
3	50	20	16	—	—	—	—	14
4	35	35	16	—	—	—	—	14
5	65	—	16	—	5	—	—	14
6	69	—	16	—	—	1	—	14
7	70	—	16	—	—	—	3	11
8	35	35	12	4	—	—	—	14
9	65	—	12	4	5	—	—	14

3.6.2.2　推进剂氧含量的计算

先计算 1~4 号配方 1 kg 推进剂的假想化学式，再计算出假想化学式中氧元素的百分含量，计算出的结果分别为 47.04%、37.20%、35.49%和 34.27%。

3.6.2.3　推进剂燃速的测定

将 5~7 号配方推进剂样品切成 4 mm×4 mm×80 mm 的药条，按 QJ912—85 标准用水下声发射法测定 7 MPa 下推进剂的燃速，测得的结果分别是 4.22、10.63 mm／s 和 34.60 mm／s。

3.6.2.4　推进剂激光点火延迟时间的测定

将推进剂样品加工成约 $\phi5$ mm×4 mm 的试件后，用合成胶水将其粘贴在 CO_2 激光点火器的试件支承平台上。打开 CO_2 激光点火器，用高灵敏度的光电二极管将推进剂着火燃烧时产生的光信号变为电信号，并通过光线示波器记录下来，从示波器记录曲线和记录纸走纸速率就能求出推进剂的点火延迟时间。

3.6.3 实验结果及分析

3.6.3.1 推进剂氧含量与点火延迟时间的关系

由于 1～4 号配方推进剂氧含量不同，会对点火延迟时间产生影响。采用 $1.36\ W/mm^2$ 的激光点火功率密度，测得的推进剂点火延迟时间 τ_{id} 见表 3-10。

表 3-10 氧含量对点火延迟时间的影响

配方号	氧含量 (%)	τ_{id} (s)	配方号	氧含量 (%)	τ_{id} (s)
1	47.04	0.23	3	35.49	0.43
2	37.20	0.41	4	34.27	0.55

由表 3-10 数据可知，随着丁羟推进剂的氧含量增加，推进剂的激光点火延迟时间显著缩短。

L.J.Shanon 采用辐射能对复合推进剂的点火研究表明：在大气压力条件下，点火基本上是受氧化剂的分解特性控制的；在较低压力下，粘合剂的热分解特性对点火也有影响。由于推进剂的点火特性是由氧化剂和粘合剂两者的分解特性共同决定的，因此改变推进剂中氧化剂的含量或种类后，就改变了推进剂的表面结构和气态氧的生成速率以及气相化学成分的性质，从而导致推进剂的点火延迟时间延长或缩短。本实验中，2 号配方氧化剂的含量比 1 号配方氧化剂的含量有较大幅度的降低，推进剂的氧含量降低，气态氧的生成速率下降，因此推进剂的点火延迟时间延长。对于 3 号和 4 号配方，尽管其氧化剂的含量比 2 号配方的略高，但由于其氧化剂的种类发生了改变，推进剂的氧含量反而降低，气态氧的生成速率下降，推进剂的点火延迟时间延长，其结果表现为硝铵复合推进剂比 AP 推进剂更难点火。

对表 3-10 中数据进行回归分析，可得到推进剂的点火延迟时

间与氧含量[O]([O]为百分数)的关系为

$$\tau_{id} = 1.22 - 0.0212\,[O] \qquad (3\text{-}10)$$

3.6.3.2 推进剂燃速与点火延迟时间的关系

在 5~7 号配方推进剂中，推进剂燃速分别为 4.22、10.63 mm / s 和 34.60 mm / s，采用 1.36 W / mm^2 的激光点火功率密度时，推进剂的点火延迟时间 τ_{id} 见表 3-11。

表 3-11　燃速对点火延迟时间的影响

配方号	燃速 (mm / s)	τ_{id} (s)
5	4.22	0.31
6	10.63	0.27
7	34.60	0.19

从表 3-11 中数据可以看出，随着丁羟推进剂燃速的增加，激光点火时间缩短。

由于燃速添加剂能加速或抑制推进剂中 AP 的热分解，从而对推进剂的点火延迟时间产生影响。在 5~7 号配方中分别添加 5% 的草酸铵、1% 的三氧化二铁和 3% 的卡托辛后，由于草酸铵是燃烧抑制剂，它抑制了 AP 的质子转移过程，使推进剂的燃速降低，点火延迟时间延长；而三氧化二铁和卡托辛是燃速催化剂，能加速 AP 的热分解，使推进剂的燃速升高，点火延迟时间缩短，且卡托辛的催化效率比三氧化二铁更高，使 AP 的分解速度更快，点火延迟时间更短。

3.6.3.3 激光点火功率密度与点火延迟时间的关系

在 8 号配方推进剂中，当激光功率密度(即点火热通量)分别为 0.33、0.98、1.36 W / mm^2 和 1.66 W / mm^2 时，推进剂的点火延迟时间见表 3-12。

从表 3-12 中数据可以看出，随着激光功率密度的增加，推进剂的点火延迟时间显著缩短。

表 3-12 推进剂的点火延迟时间与激光功率密度的关系

功率密度 （W / mm^2）	τ_{id} （s）
0.33	7.15
0.98	0.37
1.36	0.24
1.66	0.19

由于推进剂的点火延迟时间不仅取决于推进剂的物理和化学性质，还取决于点火系统的工作特性和化学特性。在点火过程中，外部加热使推进剂表面温度升高，直到在推进剂表面出现放热化学反应，这些化学反应使推进剂表面温度升高的速率远大于单纯的外部加热引起的温度升高速率。

推进剂的点火延迟时间可以表示为

$$\tau_{id} = t_1 + t_2 \qquad (3-11)$$

式中　t_1——外部热源加热推进剂至发生放热化学反应所需的时间；

　　　t_2——化学反应放热加热推进剂至着火点的时间。

实验中激光功率密度增加时，加热推进剂至发生放热化学反应所需的时间缩短，因此推进剂的点火延迟时间缩短。

3.6.3.4 含超细铝粉的推进剂点火性能

在 4 号和 5 号两组配方推进剂中，分别以 4%的 UFAl 部分取代推进剂中 FLQT-1 铝粉后，得到 8 号和 9 号配方推进剂，采用 1.36 W / mm^2 激光点火热通量测试上述 4 种推进剂的点火延迟时间，所测结果见表 3-13。

从表 3-13 中数据可以看出，在 4 号和 5 号配方推进剂中各添加 4%的 UFAl 后，推进剂的点火延迟时间分别缩短了 34.5%和 25.8%。

表 3-13 含超细铝粉的丁羟推进剂的激光点火延迟时间

配方号	UFAl （%）	τ_{id} （s）
4	0	0.55
5	0	0.31
8	4	0.36
9	4	0.23

由于超细铝粉比普通铝粉具有更小的粒度和更大的比表面积，因此在推进剂点火过程中，它比普通铝粉更易着火燃烧，从而使推进剂的点火延迟时间缩短。由此可见，UFAl能明显改善丁羟推进剂的点火性能。

3.6.4　改善推进剂点火性能的措施

本节实验结果表明，复合推进剂的点火延迟时间除了受推进剂本身的物理和化学因素(如氧含量、燃速等)影响外，还受点火系统的工作特性(如激光功率密度等)影响。要改善推进剂的点火性能可采取以下措施：

(1)对于氧含量低的推进剂(如硝铵推进剂)应增加点火能量，使点火延迟时间缩短。

(2)对于燃速较高的推进剂，可采用低一些的点火能量。

(3)尽可能增大推进剂的点火热能，使推进剂的点火延迟时间缩短。

(4)在推进剂配方中加入适量的UFAl，可改善推进剂的点火性能，使点火延迟时间缩短。

3.7　光学参数对激光点火延迟时间的影响

点火延迟时间是激光点火特性研究的核心内容之一，以往的研究结果认为，它主要受辐射源强度，环境氧化性气体的压强、浓度，以及推进剂配方、初温等诸多因素的影响，常常忽略了固体推进剂光学参数，很少从光学吸收的角度考虑固体推进剂光学参数不同而带来的影响。李疏芬等人的研究组[84]在对NEPE推进剂的激光点火特性方面进行的系列研究中发现，在较高的点火源热流密度下，理论与实际点火延迟时间的差异尤为明显，并从推进剂光学参数入手，探讨了这一差异的光学原因。这里的光学参数主要是指固体推进剂的反射率和吸收系数。

实验采用高能 CO_2 激光为点火源，对不同配方的 NEPE 推进剂在不同点火热流、初温及压强下的点火延迟时间进行了测定，发现实际点火延迟时间随热流密度的变化关系与理论预测结论之间存在一定的差异。凝聚相点火理论的数学模型认为，点火延迟时间的主要组成部分——惰性加热时间 t_e 与外部激发热能 q_0 的二次方成反比关系，但实验结果未能与之相符。分析认为，产生较大误差主要是由固体推进剂对激光的吸收效率不同引起的，固体推进剂的光学参数在其中扮演了重要的角色。因此，有必要把它作为一个独立的因素进行系统的研究。

3.7.1 光学参数的定义与测定

当激光束垂直入射于固体推进剂表面时，会发生反射、透射、散射等光学现象。光在介质中以平面波的形式传播，其电场强度 E 为

$$E = E_0 \exp(\boldsymbol{k} \cdot \boldsymbol{r} - \omega t) \tag{3-12}$$

式中　E_0——初始电场强度；

　　　$\boldsymbol{k}$——波矢；

　　　$\boldsymbol{r}$——方向矢量；

　　　ω——角频率；

　　　t——时间。

若固体磁导率为 μ，介电常数为 ε，电导率为 σ，则根据 Maxwell 方程组可推导出复数折射率 n_0 的表达式为

$$n_0 = (\mu\varepsilon + \mathrm{i}\sigma\mu / \varepsilon_0\omega)^{1/2} = n + \mathrm{i}\chi \tag{3-13}$$

式中　n、χ——折射率和消光系数。

吸收系数是由消光系数决定的，它反映固体物质对光的吸收

能力的大小，由光强衰减规律即 Bouguer 定律，到达固体内部深度为 z 处的光强 I_z 为

$$I_z = I_0 \exp\left(-\frac{2\chi\omega}{c}z\right) = I_0 \exp(-\alpha z) \tag{3-14}$$

$$\alpha = 2\chi\omega/c = 4\pi\chi/\lambda_0 \tag{3-15}$$

式中 I_0——入射前的光强；

c——光速；

α——吸收系数；

λ_0——真空中的波长。

反射率 R 为光沿正入射方向的反射光强与入射光强之比值。根据电场和磁场在界面处的强度匹配条件可以推知

$$R = \left|\frac{1-n_0}{1+n_0}\right|^2 = \frac{(n-1)^2 + \chi^2}{(n+1)^2 + \chi^2} \tag{3-16}$$

吸收系数 α 和反射率 R 是反映固体推进剂光学特性的重要参数。通常采用以下几种方法对其进行测定：①使用宽带光谱仪记录样品的透射光谱；②通过测量激光辐射的衰减强度得到样品的透射率；③采用积分球的方法测量反射率的大小；④固体表面温度分布的比较测量方法。

但是，在光谱吸收较弱的区域里用不同方法测得的光学参数会有很大的差异，主要原因可能是光在物质晶体表面出现多次散射的现象，使得光强衰减和反射的情况变得更为复杂，Bouguer 定律不再严格成立。为了减小测量结果的不确定性，需要对实验条件作出要求和假设：①推进剂结构致密，孔隙率小于 10%；②入射激光沿着法线方向垂直照射到药条表面上；③药条长度至少是 $1/\alpha$ 的 $3\sim5$ 倍；④光斑直径在辐照过程中的变化量远小于样品的尺度；⑤在样品背后放置一个聚焦透镜用来收集测量中损失的部分光能。

3.7.2 激光波长对光学参数的影响

文献[85]和文献[86]曾经用积分球的方法对固体推进剂个别组分的光学参数进行过测定，分别用波长 10.6 μm 的 CO_2 激光和波长 1.06 μm 的 YAG 激光进行实验。为便于比较，选取其中部分数据列于表 3-14 中。

表 3-14　不同波长下样品光学参数的比较

样品	激光波长 (μm)	反射率 (%)	吸收系数 (cm^{-1})
NC	10.6	7.2	500
	1.06	74	70
RDX+WAX (4 : 1)	10.6	3.2	167
	1.06	60	11
HMX	10.6	9.8	180
	1.06	77	—

从表 3-14 可见，光学参数不仅与样品的组分有关，而且还强烈地依赖于激光的波长。在 10.6 μm 波长下样品普遍具有低反射率和高吸收系数；而在 1.06 μm 波长时，反射率明显地增大了 8～20 倍，吸收系数则降为前者的 1 / 7，甚至更小。显然，采用 CO_2 激光更有利于固体推进剂对光的吸收，因为这种激光的波长处于中红外波段，大部分物质的振动吸收频率与之相匹配，所以推进剂对其吸收效率较高；而当采用 YAG 激光器时，因其波长处在近红外区，光吸收效率明显下降。对于同一种样品，采用不同波长的激光器为光源时，光学参数的差异可达到 1 个数量级。

3.7.3 遮光剂对光学参数的影响

一般来说，添加少量的遮光剂会改善推进剂的光学性能、提高吸收效率，但并不是绝对的，还要视激光波长而定。表 3-15 依然选用参考文献[85]和文献[86]中的部分实验数据，光学参数是在不同波长成分下分别在样品中加入1%的碳作为遮光剂测得的。

表 3-15   遮光剂对光学参数的影响

样品	激光波长 （μm）	反射率 （%）	吸收系数 （cm^{-1}）
RDX	1.06	78～85	18～22
RDX+1%C		7	600
HMX	10.6	9.8	180
HMX+1%C		9.6	174

从表 3-15 可见，对于不同的激光波长，加入遮光剂后，样品光学参数的变化会有所不同。在 1.06 μm 波长下，少量碳粉的加入起到了明显的效果，以 RDX 为例，反射率约降低为原来的 1／10，而吸收系数可增加 30 倍左右；但在 10.6 μm 波长下，碳粉的加入对光学参数的影响不大，遮光效果并不明显。因此，在决定是否添加遮光剂或添加多少时，须考虑所采用的激光波长。

3.7.4   光学参数与激光点火延迟时间的关系

在研究点火延迟时间并建立点火模型时，常常把激光器的功率或激光热流密度作为一个独立可调的参数来进行计算。但是，一旦把光学参数的影响考虑进去之后，必须对用于点火的实际输出功率作相应的修正，使其能够直接反映对点火延迟时间的修正。如果把忽略光学影响的理论点火延迟时间用 $t(R_0, k_\infty)$ 来表示，实际点火延迟用 $t(R_\lambda, k_\lambda)$ 表示，则可引入一个转换系数 Φ 来表征它们之间的关系

$$\Phi = t(R_0, k_\infty) / t(R_\lambda, k_\lambda) \tag{3-17}$$

因为 $t(R_0, k_\infty) < t(R_\lambda, k_\lambda)$，所以 Φ 的取值在 0～1 之间，它是由反射率、吸收系数等因素共同决定的。

$R_\lambda > 0$，意味着有部分光能由于反射而损失(虽然其中有一部分可能被固体表面的气相区吸收，增加了气相区的初温，还有可能出现二次反射的情况而再次被固相吸收，但这些因素对点火的影响甚微，可以忽略不计)，因此，考虑了反射率之后，实际的激光点火功率应为 $W' = W(1-R_\lambda\%)$。

吸收系数 k 反映的是被推进剂吸收的光能在固体内部的分布和积累。由前述的假设③药条长度至少是 $1/k$ 的 $3\sim5$ 倍，足以保证几乎所有的透射光能全部被推进剂固相吸收，这部分能量转变为热能，使得推进剂整体温度升高。但就点火而言，仅仅在位于推进剂表面薄层区域内的能量积累对其有贡献，其余的可认为是推进剂内部的深度吸收，深度吸收的多少由吸收系数决定，直接影响点火效率。

由 Bougner 定律可知，由于固体对光的吸收，在激光光束的入射方向即推进剂药条的轴线方向上，光强呈指数衰减。在特定的激光波长 λ 下，吸收系数 k_λ 反映的物理意义是：在距离入射端面垂直深度 $1/k_\lambda$ 处，光强减弱为原来的 $1/e$，大部分的光能是在小于 $1/k_\lambda$ 区域被吸收的，所以把 $1/k_\lambda$ 定义为推进剂对波长为 λ 的入射光的特征吸收深度，当 $k_\lambda \to \infty$ 时，特征吸收深度趋于零，即完全为表面吸收的理想情况。

根据固相点火理论，固体推进剂的点火特性与表面凝聚相层的分解放热反应有密切的关系。为了便于分析，假定点火过程中表面反应层的厚度为 $x_{\neq}$，并把它与特征吸收深度一起考虑。不难看出，当 $1/k_\lambda < x_{\neq}$ 时，大部分的光能在表面反应区就被吸收，接近于完全表面吸收的情况；反之，当 $1/k_\lambda > x_{\neq}$ 时，深度吸收的情况较为明显。因此，用 k_λ 与 $x_{\neq}$ 的乘积 $k_\lambda x_{\neq}$ 能够更好地从本质上反映表面吸收的程度。通过几种不同样品的理论和实际点火延迟时间的比较，得到的转换系数 Φ 与 $k_\lambda x_{\neq}$ 的关系如图3-25所示。

图3-25中，转换系数 Φ 随着 $k_\lambda x_{\neq}$ 的增大而增大，并逐渐趋于1。

对于不同种类的样品，可以得到几乎一致的 $\Phi \sim k_\lambda x_\neq$ 曲线，对于相同的 $k_\lambda x_\neq$ 值，不同样品之间 Φ 的差异不超过8%。因此，图3-25具有很好的通用性，并且给予这样的启示：如果能够估计点火时表面反应层的厚度，那么，只需要测出样品的光学参数，就可以根据图3-25得到考虑了深度吸收后的点火延迟时间差异，而不考虑具体推进剂。

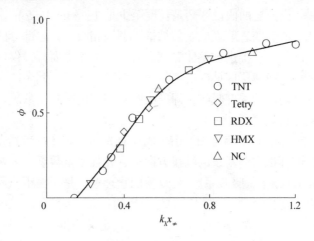

图 3-25　5种组分的 $\Phi \sim k_\lambda x_\neq$ 关系图

但在实际点火中，表面反应层的厚度一般难以测量，不得不把 $x_\neq$ 作为一个未知量来考虑。而仅用 Φ 对 k_λ 作图，则对于每一种推进剂组分，在不同的激光热流密度下将得到一系列曲线，以特屈儿(2,4,6–三硝基苯甲硝胺)为例，如图3-26所示。

从图3-26可以看出，在吸收系数不变的情况下，热流密度越大，转换系数越小，深度吸收越严重，而热流密度较小时则相反。其原因可能是由于热流密度的不同导致能量的积累以及建立热平衡所需的时间不同。热流密度越小，达到平衡所需的时间越长，这就相当于增加了表层区的厚度，$x_\neq$ 变大了，有利于点火过程的表面吸收。可以设想，如果把图 3-26 中的横坐标改成 $k_\lambda x_{\neq}$，则这一组曲线将合并归一化，得到与图 3-25 一致的结果，这对于点火延迟时间的深入研究很有意义。

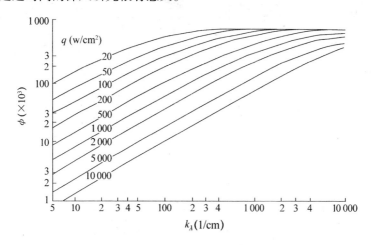

图 3-26 特屈儿在不同热流下的 $\Phi \sim k_\lambda$ 关系

3.7.5 NEPE 推进剂理论点火延迟时间的估算

利用波长 10.6 μm 的 CO_2 激光点火系统，测得在 4 种不同热流密度辐射下 NEPE 推进剂的点火延迟时间。以 45 W／cm^2 下的测量值为参照，采用两种不同的方法对其余热流密度下的点火延迟时间进行理论预测并同实验值比较。在进行理论计算时，做以下几点假设：①点火在相同的初温和压强下进行；②惰性加热时间在点火延迟时间中占主导地位；③点火延迟时间与热流密度的二次方成反比。计算结果列于表 3-16 中。从表 3-16 可以看出，随着热流密度的增加，点火延迟时间减小，其误差有增加的趋势。在考虑了深度吸收以后，误差有明显地减小，理论点火延迟时间与实验值较为符合。

表 3-16 不同热流密度下 NEPE 推进剂的点火延迟时间的理论值估算

热流密度 (W/cm^2)	实测点火延迟时间 t_0 (s)	未考虑深度吸收的点火延迟时间 t_1		考虑深度吸收的点火延迟时间 t_2	
		(s)	误差(%)	(s)	误差(%)
45	1.44	—	—	—	—
78	0.64	0.48	25	0.61	4.7
178	0.19	0.092	52	0.143	25
321	0.064	0.028	56	0.072	12.5

3.8　激光点火系统的检测

一个实用的激光点火系统，应设计有对激光点火(或起爆)系统的光纤、连接器、窗口和点火药进行可视性检查的测试手段。

检测的方式通常是把一束非相干光引入系统，通过最初设计的和系统光纤相并联的检测光纤，穿过窗口到达接收装置，通过所得的吸收光谱来判断系统的完整性和可靠性。

另一种检测方法是将一个碲蓝色闪光灯放置在光纤的末端，从这一点上俯视光纤，可看到闪光灯的像，通过从另外一条反馈回路的光纤送回来的像来检查系统的质量。如果药剂氧化、受潮或发生其他状态变化，反射光的颜色会发生变化，显示出系统不合格；如果光纤沿其长度方向上多点破裂，射入的光波不返回，则可判断传递系统已破坏；如果发光系统产生连续故障，也会无光返回。这种检测系统可以查出光纤在系统中的传输能力、密封窗口的透光性、药剂的化学特性变化及系统工作前的状态。此系统检测的非相干光可以始终存在，它对系统的安全性无影响。

3.9 结论与讨论

本章重点介绍了 Zr / KClO₄、Ti / KClO₄、丁羟推进剂等含能材料的激光点火特性及有关试验与结果。在激光二极管点火实验中，使用最大输出功率为 1 W 的半导体激光器，光纤芯径为 200 μm，最大激光强度为 $1.6×10^7$ W / m²。实验结果表明，不仅存在发生点火的临界激光能量，而且存在一个临界激光强度。对 Zr / KClO₄ 来说，输出功率为 0.5 W 时的点火临界激光能量和临界激光功率分别为 8.5 mJ 和 0.3W，相应的激光能量密度和激光功率密度分别为 27.1 J / cm² 和 960 W / cm²。上述实验事实说明，实现激光点火不仅需要足够的激光能量，而且需要足够的激光功率或者说激光功率密度。实验同时也表明，小功率激光二极管点火与大功率激光器点火之间存在一个重要的差别，即当采用大功率、窄脉宽的激光器（如常用的 Nd∶YAG 激光器）点火时，激光器功率容易满足大于临界激光功率值的条件，而激光能量是否足够大，自然成为首先考虑的问题；但是在采用小功率、长脉宽的激光器（如激光二极管）点火时，激光功率（或激光强度）成为矛盾的主要方面。一旦激光二极管输出功率低于临界点火所需的功率，点火便不能发生。增加激光作用时间虽然可以增加激光作用的总能量，但不能增加激光功率密度。

采用提高激光二极管的功率或减小耦合光纤芯径的方法可以提高激光强度，而且后者更为有效。因为激光强度与激光束直径的平方成反比，文献[38]的实验结果已证实了这一点。将 Zr / KClO₄ 的实验结果与文献[98]的实验结果比较可知，临界点火能量偏大，其主要原因是：①实验使用的激光二极管的输出功率较小；②激光二极管的耦合光纤芯径较大。这是激光强度偏小、临界点火能量偏高的主要原因之一。

实验中所用激光二极管的功率偏小，使实验研究的深度和广度受到一定程度的影响。

总结本章所阐述的实验方法及结果，可概括如下：

(1)采用激光点火实验装置及测试系统对 $Zr/KClO_4$、$Ti/KClO_4$ 等含能材料进行了一系列激光点火实验研究，得出激光二极管的最大输出功率 1 W、波长 980 nm、光纤芯径 200 μm。实验结果表明，粒度、密度、配比以及激光强度等因素对激光二极管点火的临界点火能量有明显的影响。在 3 种不同配比中，质量比为 1∶1 的 $Zr/KClO_4$ 的临界点火能量最小；药剂的临界点火能量随点火药剂密度、粒度的减小而减小，随激光功率的减小而增大，当激光功率小于某个值后，即使激光作用时间再长也不会点火；约束条件有利于降低临界点火能量。

(2)将 $Zr/KClO_4$ 的实验结果与文献[35，36]结果比较可知，本章实验所使用的激光二极管的输出功率较小、耦合光纤芯径较大，造成激光强度偏小，是临界点火能量偏高的主要原因。

(3)合适的掺杂对药剂激光点火感度和延迟时间有较明显的影响。特别值得注意的是，掺杂碳黑对提高点火药的激光感度、降低点火的阈值能量和缩短点火时间有明显作用。

(4)复合推进剂的点火延迟时间除了受推进剂本身的物理因素和化学因素(如氧含量、燃速等)影响外，还受点火系统的工作特性(如激光点火通量等)影响。通过采用增加点火能量、增大推进剂点火热能、添加超细铝粉等方法，可以改善推进剂的点火性能，缩短推进剂激光点火的延迟时间。

第4章 影响含能材料点火的因素分析

4.1 引　言

从第 3 章的实验结果可以看出，药剂的密度、粒度、组分配比、掺杂以及激光功率密度等因素对点火能量或者说对点火药剂的激光感度都有影响。本章将运用热点学说、传热理论及热平衡方程，全面分析讨论影响含能材料激光点火的因素，从理论上定性地解释实验结果，阐述含能材料的粒度、密度、组分配比、掺杂以及激光波长、强度和约束条件等因素对点火的影响。

正如第 1 章中所分析的，当激光功率密度较小（$<10^6$ W／cm^2）时，材料吸收的激光能量经无辐射跃迁主要转化为分子的平动能、转动能和振动能，并通过物质分子之间的摩擦、碰撞等相互作用转化为热能，进而在含能材料内部产生一个"局部高温区"——按照"热点"学说也可称做"热点"，由此而导致的点火可称为"热点"起爆。"热点"不仅具有小的体积和高的热能密度，而且是含能材料中的初始剧烈反应区。显然，在激光作用下容易形成"热点"的含能材料应当具有较高的激光感度。

4.2　影响含能材料激光点火的因素分析

4.2.1　粒度对激光感度的影响

设颗粒状含能材料的密度为ρ，并假定组成材料的颗粒是球体。当颗粒半径为 r_0 时，单位体积内粒子数即粒子数密度设为 n_0，若保持密度 ρ 不变，则随着粒度的减小，材料中粒子数密度将增大。如果颗粒半径缩小 N 倍即变为 $r_0' = r_0 / N$ 时，粒子数密度将增大为 $n_0' = N^3 n_0$。当粒度减小时，受激光照射的含能材料中将产生以下几种效应[87]。

4.2.1.1 吸收增强效应

材料对激光的吸收系数 α 可用下式计算：

$$\alpha = n_0 \sigma_t \qquad (4-1)$$

式中　n_0——材料中的粒子数密度；

　　　σ_t——球形颗粒的最大截面积，即 $\sigma_t = \pi r_0^2$；

　　　r_0——颗粒半径。

容易推出，在密度不变的情况下，若粒度减小 N 倍，即 $r' = r_0 / N$，则粒子数密度变为 $n_0' = N^3 n_0$，粒子最大截面积变为 $\sigma_t' = \pi r_0^2 / N^2$。根据式(4-1)，此时的吸收系数将变为

$$\alpha' = n_0' \sigma_t' = N^3 n_0 \pi r_0^2 / N^2 = N n_0 \pi r_0^2 = N n_0 \sigma_t \qquad (4-2)$$

即吸收系数增大为原来的 N 倍。也就是说，随着粒度的减小，含能材料对激光的吸收将增强。

4.2.1.2 弛豫加快效应

激光能被材料吸收转化为热能的过程是通过粒子间的摩擦、碰撞等作用方式实现的。在相同密度的情况下，粒度小的材料单位体积内粒子数多，而且小粒子的质量小、惯性小，因此碰撞机会多、碰撞周期短，通过摩擦碰撞等方式转移能量达到热平衡所经历的时间也就较短。小粒度情况下的弛豫加快效应有利于材料中局部高温区即"热点"的快速形成，显然对点火是有利的。

4.2.1.3 米氏散射效应

进入材料内部的激光将被材料粒子散射。按照 G. Mie 的理论，当激光波长与材料粒子的线度相当时，在激光原入射方向上的散射光将大大增强，而其他方向上的散射光则明显减弱，这种现象

称为米氏散射[88]（Mie scattering）效应。在激光二极管点火中，激光波长一般在 0.8 ～ 1.0 μm，因此当含能材料粒度由大到小变化至几个微米量级时，米氏散射效应将愈来愈显著，此时激光能在含能材料内部的传输主要集中在激光原入射方向上，这意味着材料对激光能的吸收主要集中在沿光束传播方向的一个较小的空间区域内，从而有利于材料中"热点"的形成，即有利于点火。

4.2.1.4 均匀吸收效应

目前用于激光二极管点火的固体含能材料主要有烟火药和点火药，如 Zr / KClO₄、Ti / KClO₄、TiHx / KClO₄、B / KNO₃ 和经过掺杂的炸药如 CP、HMX 等。这些材料由两种或两种以上组分混合而成，每一种组分对激光的吸收都有影响。以点火药剂锆 / 高氯酸钾（Zr / KClO₄）为例，两种成分吸收激光的特性和相互作用的情况都与粒度有关。目前激光二极管点火所使用的半导体激光器的激光波长一般在 0.8 ～ 1.0 μm 之间，光纤芯径在 100 ～ 200 μm。本书相关实验的激光波长 λ 为 0.98 μm，光纤芯径 d 为 100 μm。当 Zr 和 KClO₄ 的粒径较大，如在 100 μm 左右时，则在激光束射入材料的一个极薄层区域内几乎只有 Zr 或 KClO₄ 一种组分吸收激光能量而升温，因此难以发生锆和氧的剧烈反应形成导致燃烧或爆炸的"热点"；而当粒径较小，如粒径为 10 μm 时，"热点"区内的 Zr 和 KClO₄ 将具有与整体大致相同的比例，从而使区域内的 KClO₄ 分解释放的氧能够与锆充分反应，最终实现燃烧爆炸。对掺杂（如掺石墨或碳黑）的 CP 或 HMX，虽然情况与 Zr / KClO₄ 有所不同，但也同样存在粒度大而不利于均匀有效吸收的问题。

4.2.2 密度对激光感度的影响

从第 3 章的图 3-23 曲线容易看出，随着压药压力的增大（密度增大），Zr / KClO₄ 的临界点火能量也增大，即激光感度下降。

较小的密度对应较高的激光感度这一实验事实可作如下解释：当密度较小时，固体含能材料中的空气隙较多，材料的导热率减小（比热不变），因此有利于材料中被激光照射区域的温度升高而形成"热点"；同时，当较多的空气隙受热膨胀时，形成的高压也有利于含能材料的起燃和起爆。

从第 1 章给出的点火能量计算式(1-31)和式(1-39)，即

$$E_i = \frac{1}{4}\pi d^2 h \rho c \frac{T - T_a}{1 - f_r} \tag{4-3}$$

$$E_i = Pt_i = \frac{S \pi \lambda \rho c \theta_{0,0,t_i}^2}{4(1 - f_r)^2 I_0} \tag{4-4}$$

也可以说明点火药剂密度对激光点火感度的影响。随着含能材料密度的减小，其导热系数 λ 一般也随之变小，而比热 c 则可视为不变。因此，由式(4-3)和式(4-4)可知，在一定范围内临界点火能量随着密度的减小而减小。需要指出的是，密度的变化会影响含能材料的吸收系数(见 4.2.1 节)和单位体积内的反应热等。而含能材料的吸收系数和单位体积内的反应热随密度的减小而减小，因此过小的密度会导致含能材料的激光感度降低。

4.2.3　组分配比对激光感度的影响

从第 3 章的实验结果可以看出，组分配比是影响点火药激光感度的重要因素之一。为了便于对实验结果进行分析，首先考察锆和高氯酸钾在激光热作用下的化学反应方程：

$$2Zr + KClO_4 \longrightarrow 2Zr + KCl + 2O_2 \longrightarrow KCl + 2ZrO_2 \tag{4-5}$$

根据式(4-5)和其中各物质的摩尔质量不难计算出，在外部没有供氧的情况下，假设 $KClO_4$ 全部分解，那么 Zr 和 $KClO_4$ 完全反应的质量比为 1:0.76，即零氧平衡，而 Zr 和 $KClO_4$ 的质量比为 1:1 时为正氧平衡。根据点火的"热点"理论，由光纤输出的

激光能量,首先在一个局部区域内被含能材料吸收,导致材料温度升高并引起化学反应放热形成"热点"。由于$KClO_4$完全分解需要一定的时间历程,所以适当的正氧平衡配比即适量的富氧状态,可以保证有足够的氧与锆发生氧化还原反应;同时,一定的富氧有利于提高点火器内的压力,使"热点"在含能材料中较快地形成。因此,在弱正氧平衡(1:1)的情况下,$Zr/KClO_4$具有较高的激光感度。而质量比为1:1.2时,激光点火感度反而降低,这是由于过多的氧化剂($KClO_4$)会造成不必要的能量损耗,同时降低了点火药剂对激光的吸收(因为Zr更易于吸收激光)。由此带来的负面效应将超过前述的正面作用,使药剂点火所需的临界激光能量增加,导致含能材料的激光感度降低。

4.2.4 激光功率密度对点火的影响

第3章的实验结果表明,随着激光功率的增大,药剂的临界点火能量减小。从第3章的图3-23和图3-24可以看出,$Zr/KClO_4$和$Ti/KClO_4$的临界点火能量随着激光功率的减小而增大,且变化曲线左端的陡度迅速增大,这预示着存在一个点火的临界激光功率值,当激光功率小于此临界值时,点火将不可能发生。根据1.4.3节中所做的推导和分析,即式(1-39)

$$E_i = \frac{S^2 \pi \lambda \rho c \theta_{0,0,t_i}^2}{4(1-f_r)^2 P} = \frac{S \pi \lambda \rho c \theta_{0,0,t_i}^2}{4(1-f_r)^2 I_0} \tag{4-6}$$

从式(4-6)容易看出,当光纤芯径不变时,随着入射激光功率P的减小,含能材料的临界激光点火能量E_i增大。在表面源的情况下,含能材料(半无限大)能够达到的最高温度$T_{0,0,\infty}$(将初温视为零)可由式(1-44)给出

$$T_{0,0,\infty} = \frac{P}{2\lambda a \sqrt{\pi}} \tag{4-7}$$

式(4-7)表明，对于给定的点火药，在光纤芯径不变的情况下，当激光功率 P 低于某一个值时，即使激光作用的时间再长，也不可能点燃点火药。换而言之，当入射激光功率小于临界值时，点火将不会发生。临界激光功率的大小取决于含能材料的性质和光束半径。因为在激光功率足够小的情况下，激光提供给含能材料热量的速率很快被材料热散失的速率所平衡，使得含能材料温度的上升势头被迅速扼制，致使含能材料在达到其临界发火温度之前升温过程已经终止。

从图 3-23 和图 3-24 还可以看出，Zr / KClO$_4$ 和 Ti / KClO$_4$ 的临界点火能量随着激光功率的变化趋势为曲线向右方的伸展逐渐趋于平缓，说明随着激光功率的继续增大，点火能量减小的幅度逐步减小，并趋于一定值。这意味着临界点火能量将存在一个极限值。从式(4-3)和实际经验来看都是合理的。

需要指出的是，式(4-6)和式(4-7)本质上反映了入射激光功率密度对点火的影响，即点火能量既和激光功率有关又和激光束截面有关。此外，当激光强度足够大($>10^6$ W / cm^2)时，含能材料的点火机理不再局限于热作用，而是多种机理在起作用。此时，激光功率密度对含能材料点火的影响方式和效果将表现得更为复杂。

4.2.5 约束对点火的影响

在其他条件相同的情况下，有、无约束条件对临界点火能量有明显的影响。如 Zr / KClO$_4$ 在质量比为 1 : 1、激光功率为 0.5 W 时，有、无约束条件的临界点火能量分别为 8.5mJ 和 13.6mJ，说明有约束时，临界点火能量下降。从点火过程看，点火药因为吸收了激光能量而温度升高，并使自身体积膨胀。而在密封状态下，这种膨胀受到了很强的约束和限制，能量无法消耗在体积膨胀功上，而全部用于升高自身温度，显然有利于点火药的点火。

在其他条件相同的情况下，采用金属壳和有机玻璃壳装药(均使用密封盖)进行点火实验的结果发现，当激光功率为 0.5 W、质量比为 1 : 1 时，Zr / $KClO_4$ 的临界点火能量均为 8.5 mJ，两种约束下点火能量几乎没有差别。从约束角度看，金属壳的约束较强，有利于腔内高温高压的形成，因而对点火较有利；但从传热角度看，金属壳的导热快，不利于"热点"在点火药中的形成。由于来自上述两方面的影响作用在一定程度上相互抵消，使得两种约束下的临界点火能量十分接近。

4.2.6　掺杂对点火的影响

实验证明，掺入适量的碳黑能够降低 Zr/$KClO_4$、B/KNO_3 等烟火剂和一些推进剂的点火功率阈值和能量阈值，这是由于碳黑对激光辐射的良好吸收性能决定的。而掺入氯化钾和石蜡虽然不能改变 Zr/$KClO_4$ 等的点火能量阈值，但能够缩短其点火延迟时间，这是由于两方面的因素共同影响决定的：①氯化钾和石蜡加快了 Zr/$KClO_4$ 的化学反应速度，使药剂的点火延迟时间缩短，激光感度提高；②氯化钾和石蜡均为白色，对激光的吸收系数较小，掺入少量的氯化钾和石蜡会使药剂的激光吸收系数有所减小，从而导致药剂的激光感度降低。上述两方面的综合效果使加入这两种掺杂物对药剂的激光感度没有明显改变，但缩短了药剂的点火延迟时间。掺入石墨虽然也能提高光吸收率，在一定程度上缩短激光点火的延迟时间，但由于石墨对光能的吸收不能迅速传递给点火药剂，使激光能量部分损耗在石墨上而不能得到充分利用，最终影响了药剂激光感度的提高。

4.2.7　其他因素对点火的影响

从理论分析和实验两方面都已经证明，激光功率是影响临界点火能量的重要因素之一。更准确地说，激光强度即激光功率密度是影响点火能量的重要因素，也就是说，光束直径或光纤芯径的大小即激光的会聚程度对点火有重要的影响。而且从式(4-6)不难看出,光纤芯径大小对点火的影响更大,因为点火能量 E_i 同光束截面积 S 的平方成正比,或者说同光纤芯径的四次方成正比。本实验所使用的激光二极管输出光纤直径为 200 μm,可以预测,当激光二极管输出功率等条件相同时,如改用直径为 100 μm 的光纤,含能材料的临界激光点火能量将会明显地降低。然而临界点火能量同光纤芯径之间的定量关系还需要通过实验来验证。本实验激光二极管输出光纤无法更换,因此没有得到实验结果,这是本书的遗憾之处。根据文献[36~38]介绍的实验结果,光纤芯径增加 1 倍,点火能量将增加 2.6 倍左右。

激光波长对点火也存在影响。根据光子能量 ε_0 与波长 λ 的关系

$$\varepsilon_0 = \frac{hc}{\lambda} \tag{4-8}$$

及光子流密度 n_0 同激光功率密度 I_0 的关系

$$n_0 = \frac{I_0}{hv} = \frac{I_0\lambda}{hc} \tag{4-9}$$

可知,若保持激光功率密度不变而减小波长(对应的光子频率增大),则单个激光光子的能量 E 增大,同时输出激光光子流密度 n_0 减小。从激光与物质的相互作用和激光点火机理出发,不难看出激光波长对含能材料点火的影响。波长的变化既会影响激光光子对含能材料的作用,又会影响含能材料对激光的吸收,从而影响临界点火能量的大小,特别是当激光波长恰好处于含能材料的吸收带时,材料对激光将发生强烈的共振吸收,因此含能材料表现出较高的激光感度。这方面的实验研究有待进一步开展。

4.3　降低含能材料激光点火能量的方法

从以上分析、论证可以看出,由于在一般激光点火中,激光

作用主要表现为热作用[89,90]，因此在理论上凡是能够使含能材料的能量吸收率或热效应增加、有利于材料中"热点"形成和化学反应加速的方法，都可以降低临界激光点火能量；适当减小含能材料的密度、粒度，选择合适的配比，掺加少量光吸收率较高的其他物质等，可以达到提高含能材料激光感度的目的。

值得注意的是，从理论和实验两个方面都已经证明了激光功率和激光波长对含能材料点火的影响：一方面，随着激光功率的增大，临界点火能量减小；另一方面，选择合适的波长，可以增加材料对激光的吸收，降低临界激光点火能量。

随着半导体激光器技术的不断进步，大功率、可调频率的激光二极管正在研制和发展中，并且成本也在不断降低。曾经制约激光二极管点火研究的半导体激光器技术也已经有了突破性的进展，这给未来的激光二极管点火理论研究和技术发展注入了新的活力。

第5章 激光二极管点火的数值计算

5.1 引　言

　　理论分析和实验是科学研究的两种重要手段。就理论计算而言，如果能根据研究对象的物理模型抽象出数学方程并精确求解，当然是十分理想的。但是，利用解析方法求解数学问题的解析解与近似解的范围是极其有限的，一般只限于一些较为简单的问题；而用实验方法测量得到的数据，既相当有限又来之不易。为了摆脱上述困境，人们创立并不断发展了数值模拟和数值计算方法。大量研究事实表明，运用数值模拟和计算的方法不仅能够完成一般理论分析或实验无法完成的任务，而且在某种意义上比运用实验方法对问题的研究更全面、更深刻、更细致。

　　用数值模拟或数值计算的方法研究点火药剂的激光点火特性，一直是火工行业科技工作者广泛关注的课题。激光点火的数值模拟及计算方法一方面需要同实验相结合，尽可能得到实验的验证；另一方面又可以克服实验的局限，弥补实验的不足，并能预测一定条件下激光点火的条件、发展过程、趋势和结果。因此，在激光点火研究领域，数值计算和实验既是相辅相成又是不可互相替代的两种行之有效的方法。

　　国外在进行点火药和炸药的激光二极管点火实验研究的同时，也开展了有关激光二极管点火的数值计算。主要是采用一维和二维有限元差分模式，文献[38]计算了 CP / 碳黑、Ti / KClO₄

激光二极管点火的时间和点火功率阈值，做了较为成功的尝试。但在 D.W. Ewick 的模型里没有考虑激光点火过程中药剂的反应放热，这同真实情况有一定的距离。

本章从激光二极管点火的热机理出发，根据热点火理论和热流平衡方程，对文献[13]给出的计算程序进行了改进。针对含能材料激光二极管点火的具体情况，计算了药剂的激光二极管点火的临界参数，并根据计算结果分析了影响药剂激光二极管点火临界参数的因素，得到了有价值的结论，补充和完善了激光点火的相关研究成果。

5.2 物理模型与假设

5.2.1 物理模型

在激光二极管点火中，由于激光强度 I_0 (或激光功率密度)处在中、低水平($I_0 < 10^6$ W／cm^2)，因此一般情况下激光的作用主要表现为热作用，即点火药吸收激光的能量主要转化为热能。同时在激光的热作用下，少量药剂会产生分解而放出热量，造成药剂温度升高；另一方面，由于药剂中存在温度梯度及由此而产生的热传导，药剂中始终存在热量的散失而阻碍温度的进一步升高。含能材料的激光二极管点火过程正是材料中热产生和热散失共同作用的过程。当激光功率和能量恰好达到某一特定值（由材料本身性质和环境条件决定)时，含能材料的温度恰好达到某一临界点火温度，这就是所谓的临界点火。为了便于问题的处理又不失一般性和代表性，本章数值计算以平板反应物为研究对象，厚度为 a_0，激光垂直入射在含能材料的一个边界面上，如图 5-1 所示。

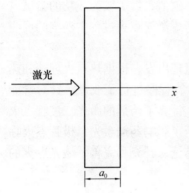

图 5-1 平板反应物受激光照射示意

5.2.2 模型的简化与假设

从激光二极管点火的实际出发，并且为了便于计算，忽略模型中的一些次要因素，将物理模型做必要的简化，并做如下假设：

(1) 由点火所导致的化学反应仅在被激光照射的表面附近极薄的一层中进行，激光的作用可作为边界条件来考虑。

(2) 药剂的物理性质(如导热系数、密度、比热)和化学性质(如活化能、指前因子、反应热)在整个升温和点火过程中保持不变。

(3) 计算中不考虑相变并忽略反应物的消耗。

5.3 数学模型

5.3.1 基本方程和边界条件

上述物理模型的主方程仍然是能量守恒方程：

$$\rho c \frac{\partial T}{\partial t} = \lambda \left(\frac{\partial^2 T}{\partial x^2} + \frac{j}{x} \frac{\partial T}{\partial x} \right) + \rho Q A \exp\left(-\frac{E_a}{RT} \right) + \alpha I \exp^{(-\alpha x)} \quad (5\text{-}1)$$

式中 ρ ——密度，kg / m^3；

      c ——比热，$J / (kg \cdot K)$；

      T——体系温度，K；

      t——时间，s；

      λ——导热系数，$W / (m \cdot K)$；

x——位置坐标，m；

Q——反应热，J / kg；

A——指前因子，1 / s；

E_a——活化能，J / mol；

R——普适气体常数，J / (mol·K)；

I——射入样品的激光强度，W / m^2；

α——样品对激光的吸收系数，1 / m。

$j = 0, 1, 2$ 分别表示无限大平板、无限长圆柱和球。本章研究的药剂样品为平板反应物，即 $j = 0$。同时由于已假设激光在样品表面极薄的一层内被吸收，所以激光能量作为边界条件处理，同时考虑到样品另一表面 $(x = a_0)$ 的温度遵循牛顿冷却定律，故该问题的能量守恒方程和相应的边界条件如下：

$$\rho c \frac{\partial T}{\partial t} = \lambda \frac{\partial^2 T}{\partial x^2} + \rho Q A \exp\left(-\frac{E_a}{RT}\right) \quad (0 \leqslant x \leqslant a_0) \qquad (5\text{-}2)$$

$$-\lambda \frac{\mathrm{d}T}{\mathrm{d}x} = I \quad (x=0) \qquad (5\text{-}3)$$

$$-\lambda \frac{\partial T}{\partial x} = \chi(T - T_a) \quad (x=a_0) \qquad (5\text{-}4)$$

式中 χ——样品与环境的对流传热系数；

a_0——反应物特征厚度。

5.3.2 方程的无量纲形式

为了便于方程的求解和计算，对式(5-2)~式(5-4)作无量纲处理，并注意到定态时 $\frac{\partial T}{\partial t} = 0$，于是热平衡方程及相应边界条件的无量纲形式如下：

$$\frac{\partial^2 \theta}{\partial \rho^2} + \delta \exp[\theta/(1 + \varepsilon\theta)] = 0 \quad (0 \leqslant \rho \leqslant 1) \qquad (5\text{-}5)$$

$$\frac{\mathrm{d}\theta}{\mathrm{d}\rho} = -\beta \quad (\rho = 0) \tag{5-6}$$

$$\frac{\mathrm{d}\theta}{\mathrm{d}\rho} + Bi\theta = 0 \quad (\rho = 1) \tag{5-7}$$

式中 θ——无量纲温度；

      ρ——无量纲坐标；

      δ——Frank-Kamenetskii 参数；

      ε——无量纲活化能；

      β——无量纲激光强度；

      Bi——毕奥数。

以上各参数具体表达式如下：

$$\theta = (T - T_a)/(RT_a^2/E_a) \tag{5-8}$$

$$\rho = x/a_0 \tag{5-9}$$

$$\delta = \rho a_0^2 Q E_a A \exp(-\frac{E_a}{RT_a})/(\lambda RT_a^2) \tag{5-10}$$

$$\varepsilon = RT_a/E_a \tag{5-11}$$

$$\beta = \frac{a_0 \mu I_0 E_a}{\lambda RT_a^2} \tag{5-12}$$

$$Bi = \frac{\chi a_0}{\lambda} \tag{5-13}$$

上述式中，I_0 为入射激光强度，射入样品表面的激光强度为 $I = \mu I_0 = (1 - f_r)$，μ 为平板反应物表面对激光的吸收率且等于 $1 - f_r$（f_r 是表面反射率）。

含能材料发生热爆炸或热点火的条件是体系的 Frank-Kamenetskii 参数 δ 大于它的临界值 δ_{cr}。因此，研究临界问题就转化为对式(5-5)～式(5-7)的联立求解，求出临界值 δ_{cr} 和与之对应的临界温度 $\theta_{0,cr}$。下一节介绍具体求解方法和步骤。

5.4 数值计算方法

5.4.1 计算方法

式(5-5)是二阶非线性常微分方程，一般情况下无分析解，临界参数的求解必须通过数值方法求得。本书采用"打靶法"求解临界问题。

二阶非线性常微分方程(5-5)的一般形式可写为

$$\theta'' = f(\rho, \theta, \theta', \delta) \tag{5-14}$$

式(5-6)和式(5-7)可写成如下形式

$$\alpha_0\theta(0) + \beta_0\theta'(0) = \gamma_0 \quad (\rho=0) \tag{5-15}$$

$$\alpha_1\theta(1) + \beta_1\theta'(1) = \gamma_1 \quad (\rho=1) \tag{5-16}$$

其中$\alpha_0=0$，$\beta_0=1$，$\gamma_0=-\beta$，$\alpha_1=Bi$，$\beta_1=1$，$\gamma_1=0$。设初值

$$\theta(0) = \eta \tag{5-17}$$

式中　η——任意值。

由式(5-15)得

$$\theta'(0) = (\gamma_0 - \alpha_0\eta)/\beta_0 \tag{5-18}$$

若η选得合适，则式(5-16)得到满足，即

$$F_1(\eta, \delta) = \alpha_1\theta(1, \eta, \delta) + \beta_1\theta'(1, \eta, \delta) - \gamma_1 = 0 \tag{5-19}$$

由式(5-5)可知，临界条件为

$$\frac{\mathrm{d}\delta}{\mathrm{d}\eta} = -\frac{\partial F_1/\partial\eta}{\partial F_1/\partial\delta} = 0 \tag{5-20}$$

即

$$\frac{\partial F_1}{\partial\eta} = 0$$

令

$$F_2(\eta, \delta) = \frac{\partial F_1}{\partial \eta} = \alpha_1 \frac{\partial \theta}{\partial \eta} + \beta_1 \frac{\partial \theta'}{\partial \eta} = 0 \tag{5-21}$$

式 (5-19) 和式 (5-21) 同步求解，即可得临界值。

求解时需要采用 Newton-Raphson 迭代法[91]，具体迭代过程为

$$\begin{bmatrix} \delta^{k+1} \\ \eta^{k+1} \end{bmatrix} = \begin{bmatrix} \delta^k \\ \eta^k \end{bmatrix} - \Gamma_F^{-1}(\eta^k, \delta^k)\, F(\eta^k, \delta^k) \tag{5-22}$$

上式中 Γ_F^{-1} 是 Γ_F 的逆矩阵，$F = (F_1,\ F_2)^{\mathrm{T}}$，具体形式如下：

$$\Gamma_F = \begin{bmatrix} \dfrac{\partial F_1}{\partial \delta} & \dfrac{\partial F_1}{\partial \eta} \\[2mm] \dfrac{\partial F_2}{\partial \delta} & \dfrac{\partial F_2}{\partial \eta} \end{bmatrix} \tag{5-23}$$

$$F = (F_1,\ F_2)^{\mathrm{T}} \tag{5-24}$$

求解 Γ_F 还须引入新变量，建立辅助方程。

5.4.2　计算步骤

求解临界参数的具体计算步骤如下：

(1) 取初值 η 和 δ。

(2) 建立辅助微分方程，并与原微分方程同步积分。

(3) 计算 Γ_F 和 F，并利用式 (5-22) 的迭代格式进行迭代。

(4) 比较并判断计算精度：

$$\left| \eta^{k+1} - \eta^k \right| + \left| \delta^{k+1} - \delta^k \right| < \varepsilon_1$$

$$\left| F_1(\eta^k, \delta^k) \right| + \left| F_2(\eta^k, \delta^k) \right| < \varepsilon_2$$

其中 ε_1 和 ε_2 是给定的精度要求。

数值计算框图见图 5-2。

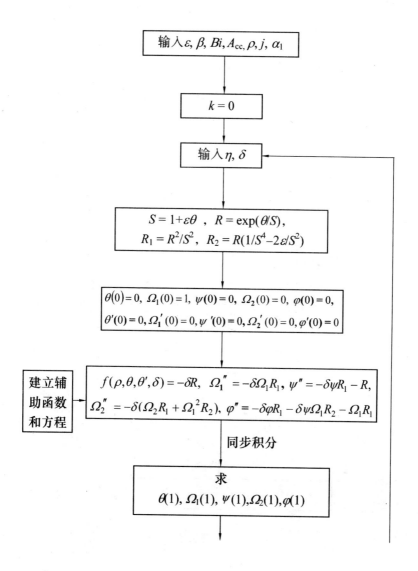

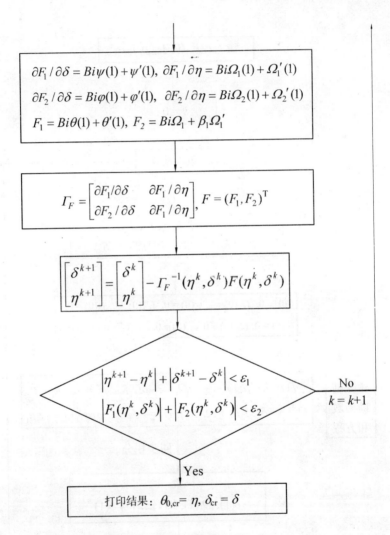

图 5-2　打靶法数值计算框图

5.5 数值计算结果

5.5.1 指数近似($\varepsilon = 0$)

通常情况下，无量纲活化能 $\varepsilon = RT_a / E_a$ 是一个很小的正数。对于本书研究的对象，ε 一般在 $0.01 \sim 0.02$ 之间，因此通常在计算中可作适当近似，将 ε 视为零来处理。这种近似在热爆炸理论中称为指数近似。

首先计算 $\varepsilon = 0$、$Bi = 10^8$ 时的临界参数，这相当于 $Bi \to \infty$，非常接近 Frank-Kamenetskii 边界条件。当激光光强 β 不同时，临界参数 δ_{cr} 和 $\theta_{0,cr}$ 的计算结果列于表 5-1 中，文献值（文献[13]）也同时列于表 5-1 中。

表 5-1 临界参数计算结果与文献值($\varepsilon = 0$, $Bi = 10^8$)

β	δ_{cr}		$\theta_{0,cr}$	
	文献	本书	文献	本书
0	0.878 458	0.878 458	1.186 843	1.186 842
0.100	0.819 276	0.819 276	1.283 424	1.283 423
0.319	0.701 950	0.701 950	1.495 133	1.495 131
0.542	0.598 248	0.598 247	1.710 993	1.710 989
0.795	0.497 578	0.497 577	1.956 246	1.956 240
1.000	0.427 649	0.427 648	2.154 248	2.155 240
1.450	0.304 755	0.304 754	2.592 954	2.592 938
2.000	0.199 251	0.199 251	3.129 506	3.129 476
2.860	0.100 409	0.100 410	3.971 672	3.971 610
5.000	0.016 760	0.016 762	6.080 593	6.080 376
5.600	0.009 979	0.009 981	6.674 395	6.674 113
8.190	0.001 005	0.001 006	9.245 455	9.244 793
10.000	0.000 194	0.000 194	11.047 099	11.046 080

由表 5-1 可以看出，计算值和文献值是一致的，说明对模型的假设是合理的，适用于激光点火的计算。表 5-2 给出了当 $\varepsilon = 0$ 时，不同毕奥数 Bi 的临界参数($\beta = 2$)。

表 5-2 Bi 取不同值时的计算结果 ($\varepsilon=0$)

β	Bi	$\theta_{0,\,cr}$	δ_{cr}
	5	2.732 769	0.426 694
	10	2.932 923	0.287 790
	20	3.031 520	0.238 772
	30	3.064 232	0.224 659
	40	3.080 565	0.217 969
	50	3.090 357	0.214 067
	60	3.096 882	0.211 511
	70	3.101 541	0.209 707
	80	3.105 035	0.208 365
	90	3.107 752	0.207 329
	100	3.109 926	0.206 504
	200	3.119 703	0.202 840
2.000	300	3.122 961	0.201 635
	400	3.124 590	0.201 036
	500	3.125 567	0.200 677
	600	3.126 219	0.200 439
	700	3.126 684	0.200 269
	800	3.127 033	0.200 141
	900	3.127 304	0.200 042
	10^3	3.127 521	0.199 963
	10^4	3.129 280	0.199 322
	10^5	3.129 456	0.199 258
	10^6	3.129 474	0.199 251
	10^7	3.129 475	0.199 251
	10^8	3.129 476	0.199 251

5.5.2 Arrhenius 反应速度常数 ($\varepsilon \neq 0$)

尽管无量纲活化能是一个很小的值，但是在某些情况下，它的影响却不可忽略。现在考虑无量纲活化能 $\varepsilon \neq 0$ 的实际情况。表 5-3 列出了 $\beta = 2.0$, $Bi = 10^8$ 和 $Bi = 100$, ε 取值范围在 $0.001 \sim 0.05$ 之间的临界参数 $\theta_{0,cr}$ 和 δ_{cr} 的计算结果。随着 ε 的增大,反应物的 $\theta_{0,cr}$ 和 δ_{cr} 值随之增大。

表 5-3　$\varepsilon \neq 0$ 时的临界参数值

Bi	β	ε	$\theta_{0,cr}$	δ_{cr}
10^8	2.000	0.001	3.135 66	0.200 620
		0.002	3.141 88	0.201 997
		0.003	3.148 14	0.203 380
		0.004	3.154 44	0.204 771
		0.005	3.160 78	0.206 169
		0.006	3.167 17	0.207 574
		0.007	3.173 59	0.208 986
		0.008	3.180 06	0.210 405
		0.009	3.186 56	0.211 831
		0.010	3.193 11	0.213 265
		0.020	3.261 07	0.228 015
		0.030	3.333 86	0.243 546
		0.040	3.412 10	0.259 910
		0.050	3.496 55	0.277 163
100	2.000	0.001	3.116 07	0.207 905
		0.002	3.122 25	0.209 313
		0.003	3.128 47	0.210 728
		0.004	3.134 74	0.212 150
		0.005	3.241 04	0.213 580
		0.006	3.147 38	0.215 016
		0.007	3.153 76	0.216 460
		0.008	3.160 19	0.217 911
		0.009	3.166 65	0.219 370
		0.010	3.173 15	0.220 836
		0.020	3.240 67	0.235 912
		0.030	3.312 98	0.251 781
		0.040	3.390 70	0.268 492
		0.050	3.474 56	0.286 106

5.5.3　叠氮化铅的临界参数

计算叠氮化铅的临界参数需要用到式(5-8)、式(5-10)和式(5-11)。PbN_6的有关参数取自文献[13]，具体如下：

密度$\rho = 3.62 \times 10^3$ kg / m^3

反应热$Q = 1.653\ 5 \times 10^6$ J / kg

活化能$E_a = 1.548\ 1 \times 10^5$ J / mol

导热率$\lambda = 0.167\ 36$ W / (m·K)

指前因子$A = 10^{14}$ / s

普适气体常数$R = 8.314$ J / (mol·K)

表5-4中列出了a_0分别为0.1 cm和0.005 cm的叠氮化铅平板反应物的临界参数，其中T_a为临界环境温度，T_0为达到临界状态时体系的最大温度，β为使系统达到临界点火状态所需要的无量纲光强。

表5-5是文献[13]值。比较表5-4和表5-5可以看出结果是一致的。表5-6列出的是平板厚度a_0为0.1 cm、不同环境温度时叠氮化铅的临界参数。

5.5.4　镁／硝酸钠(Mg／$NaNO_3$)的临界参数

计算镁／硝酸钠(Mg／$NaNO_3$)(58／42)临界参数时的有关参数取自文献[73]，具体如下：

密度$\rho = 1\ 650$ kg / m^3

反应热$Q = 8.4 \times 10^6$ J / kg

活化能$E_a = 1.48 \times 10^5$ J / mol

指前因子$A = 7.1 \times 10^{17}$ / s

导热率$\lambda = 4.4$ W / (m·K)

表面对激光的吸收率$\mu = 0.29$

普适气体常数$R = 8.314$ J / (mol·K)

表 5-4　叠氮化铅的临界参数

a_0 (cm)	β	ε	δ_{cr}	$\theta_{0,cr}$	T_a (K)	T_0 (K)
	0.0	0.024 760	0.902	1.251	461	475
	0.1	0.024 717	0.845	1.353	460	476
	0.319	0.024 624	0.730	1.575	459	476
	0.542	0.024 530	0.629	1.801	457	477
	0.795	0.024 423	0.531	2.058	455	478
	1.0	0.024 336	0.462	2.267	453	478
0.1	1.45	0.024 147	0.341	2.726	450	479
	2.0	0.023 920	0.234	3.289	445	480
	2.86	0.023 571	0.130	4.173	439	482
	5.0	0.022 755	0.030 4	6.385	424	485
	5.6	0.022 540	0.020 4	7.007	420	486
	8.19	0.021 678	0.003 78	9.698	404	489
	10.0	0.021 134	0.001 22	11.581	121	217
	0.0	0.029 368	0.907	1.226	547	567
	0.1	0.029 309	0.849	1.367	546	568
	0.319	0.029 178	0.736	1.591	543	569
	0.542	0.029 046	0.635	1.819	541	569
	0.795	0.028 897	0.537	2.079	538	570
	1.0	0.028 777	0.469	2.289	536	571
0.005	1.45	0.028 516	0.347	2.752	531	573
	2.0	0.028 203	0.241	3.320	525	574
	2.86	0.027 728	0.136	4.121	516	577
	5.0	0.026 632	0.033 4	6.443	496	581
	5.6	0.026 374	0.022 7	7.070	491	582
	8.19	0.025 219	0.004 54	9.783	470	585
	10.0	0.024 519	0.001 55	11.681	184	314

表 5-5　叠氮化铅的临界参数（文献值）

a_0(cm)	β	ε	δ_{cr}	$\theta_{0,cr}$	T_a(℃)	T_0(℃)
	0.0	0.024 760	0.902	1.251	188	202
	0.1	0.024 717	0.845	1.353	187	203
	0.319	0.024 624	0.730	1.575	186	203
	0.542	0.024 530	0.629	1.801	184	204
	0.795	0.024 423	0.531	2.058	182	205
	1.0	0.024 336	0.462	2.267	180	205
0.1	1.45	0.024 147	0.341	2.726	177	206
	2.0	0.023 920	0.234	3.289	172	207
	2.86	0.023 571	0.130	4.173	166	209
	5.0	0.022 755	0.030 4	6.385	151	212
	5.6	0.022 540	0.020 4	7.007	147	213
	8.19	0.021 678	0.003 78	9.698	131	216
	10.0	0.021 134	0.001 21	11.586	121	217
	0.0	0.029 368	0.907	1.226	274	294
	0.1	0.029 309	0.849	1.367	273	295
	0.319	0.029 178	0.736	1.591	270	296
	0.542	0.029 046	0.635	1.819	268	296
	0.795	0.028 897	0.537	2.079	265	297
	1.0	0.028 777	0.469	2.289	263	298
0.005	1.45	0.028 516	0.347	2.752	258	300
	2.0	0.028 203	0.241	3.320	252	301
	2.86	0.027 728	0.136	4.121	243	304
	5.0	0.026 632	0.033 4	6.443	223	308
	5.6	0.026 374	0.022 7	7.070	218	309
	8.19	0.025 219	0.004 54	9.783	197	312
	10.0	0.024 519	0.001 55	11.682	184	314

表 5-6　不同环境温度时叠氮化铅的临界参数

a_0(cm)	β	ε	$\bar{\delta}$	θ	T_a(K)	T_0(K)
	29.790 6	0.017 186	3.488×10^{-8}	32.175 9	320	497
	33.819 5	0.016 649	5.689×10^{-9}	36.363 0	310	498
0.1	38.320 5	0.016 112	8.204×10^{-10}	41.038 3	300	498
	43.365 0	0.015 575	1.033×10^{-10}	46.275 8	290	499
	49.035 5	0.015 037	1.118×10^{-11}	52.160 4	280	500

　　根据以上参数取值并利用程序计算一定平板厚度、不同激光强度、边界条件接近 Frank-Kamenetskii 系统时的临界参数值(见表 5-7)。

表 5-7　镁／硝酸钠的临界参数($Bi=10^8$)

a_0(cm)	β	ε	δ_{cr}	$\theta_{0,cr}$	T_a(K)	T_0(K)
	0.0	0.021 178	0.873 1	1.286 0	377	387
	0.404	0.021 066	0.686 0	1.648 0	375	388
	1.304	0.020 785	0.371 0	2.557 5	370	389
	3.143 0	0.020 223	0.103 0	4.433 2	360	392
	5.090 3	0.019 662	2.653×10^{-2}	6.433 1	350	394
	7.198 0	0.019 100	6.298×10^{-3}	8.607 2	340	396
0.1	9.507 0	0.018 538	1.368×10^{-3}	10.994 4	330	397
	12.059 6	0.017 976	2.696×10^{-4}	13.636 2	320	398
	14.898	0.017 415	4.775×10^{-5}	16.575 3	310	399
	18.071	0.016 853	7.520×10^{-6}	19.859 9	300	400
	21.634	0.016 291	1.040×10^{-6}	23.547 7	290	401
	25.652	0.015 729	1.246×10^{-7}	27.705 2	280	402

5.5.5　临界激光强度(I_0)与环境温度(T_a)的关系

　　保持 a_0 不变,计算临界状态时无量纲光强(β)与环境温度(T_a)

的对应关系，T_a 分别取 320、310、300、290 K 和 280 K，再根据式 (5-12) 和 β 的计算值可以求出达到临界状态所需外加的激光强度 (I_0)。

表 5-8 和表 5-9 分别列出了 a_0 为 0.1 cm 时，$Mg / NaNO_3$ 和 PbN_6 的临界激光强度 I_0 和环境温度 T_a 的对应关系(为便于比较，取 PbN_6 表面吸收率 μ 为 0.29，以下同)。

表 5-8 $Mg / NaNO_3$ 的临界激光强度 I_0 和环境温度 T_a 的关系

a_0 (cm)	β	ε	δ_{cr}	$\theta_{0,cr}$	T_a (K)	I_0 ($10^6 W / m^2$)
	12.060	0.017 976	2.696×10^{-4}	13.636 2	320	1.05
	14.898	0.017 415	4.775×10^{-5}	16.575 3	310	1.22
0.1	18.071	0.016 853	7.520×10^{-6}	19.859 9	300	1.38
	21.634	0.016 291	1.040×10^{-6}	23.547 7	290	1.55
	25.652	0.015 729	1.246×10^{-7}	27.705 2	280	1.71

表 5-9 PbN_6 的临界激光强度 I_0 和环境温度 T_a 的关系

a_0 (cm)	β	ε	δ_{cr}	$\theta_{0,cr}$	T_a (K)	I_0 ($10^5 W / m^2$)
	29.790 6	0.017 186	3.488×10^{-8}	32.175 9	320	0.945
	33.819 5	0.016 649	5.689×10^{-9}	36.363 0	310	1.01
0.1	38.320 5	0.016 112	8.204×10^{-10}	41.038 3	300	1.07
	43.365 0	0.015 575	1.033×10^{-10}	46.275 8	290	1.13
	49.035 5	0.015 037	1.118×10^{-11}	52.160 4	280	1.19

5.5.6 临界激光强度 I_0 与 a_0 的关系

取环境温度 T_a =300 K，分别计算 $Mg / NaNO_3$ 和 PbN_6 在 a_0 为 0.05、0.10、0.15、0.20 cm 和 0.25 cm 等不同值时，对应的临界

激光强度 I_0，结果分别列在表 5-10 和表 5-11 中。

表 5-10　Mg／NaNO₃ 的临界激光强度 I_0 随 a_0 的变化

T_a (K)	a_0 (cm)	β	ε	δ_{cr}	$\theta_{0,cr}$	I_0 (10^5 W／m²)
	0.05	20.74	0.016 853	1.880×10^{-6}	22.647 9	31.8
	0.10	18.72	0.016 853	7.520×10^{-6}	23.547 7	14.4
300	0.15	16.59	0.016 853	1.692×10^{-5}	18.308 2	8.48
	0.20	15.57	0.016 853	3.008×10^{-5}	17.251 1	5.97
	0.25	14.80	0.016 853	4.700×10^{-5}	16.438 6	4.54

表 5-11　PbN₆ 的临界激光强度 I_0 随 a_0 的变化（$Bi=10^8$）

T_a (K)	a_0 (cm)	β	ε	δ_{cr}	$\theta_{0,cr}$	I_0 (10^5 W／m²)
	0.05	42.363	0.016 112	2.050×10^{-10}	45.302 7	2.363
	0.10	38.321	0.016 112	8.204×10^{-10}	41.038 3	1.068
300	0.15	36.101	0.016 112	1.845×10^{-9}	38.701 0	0.671 3
	0.20	34.576	0.016 112	3.280×10^{-9}	37.096 6	0.482 2
	0.25	33.428	0.016 112	5.125×10^{-9}	35.889 8	0.373 0

5.6　结果分析与讨论

根据热点火的有关理论，对于无量纲光强 β 一定，也就是对于入射激光强度 I_0 一定，当体系的 Frank-Kamenetskii 参数 δ 超过其临界值 $\delta_{cr}(\beta)$ 时，热点火便发生。或者说，若把系统的 Frank-Kamenetskii 参数 δ 作为临界值 δ_{cr}，当所用光强 β 超过与 δ_{cr} 所对应的 β_{cr} 值时，就必然发生由激光引起的热点火。若体系的 δ

超过$\beta=0$时的临界值δ_{cr}，则表明即使没有外界激光能量作用，点火现象也会发生，这称为热自燃现象。

从表5-4和表5-6所列的计算结果可以看出，a_0一定时，PbN_6和$Mg/NaNO_3$的δ_{cr}及相应的β值随T_a的增大而减小。特别注意到存在着一个与$\beta=0$相对应的T_a值，这就是发生热自燃所对应的临界环境温度。从表5-4可知，$a_0=0.1$ cm时，PbN_6热自燃所对应的临界环境温度为461 K；而$Mg/NaNO_3$热自燃对应的临界环境温度为377 K，此时的δ_{cr}约等于0.9。根据热点火条件，与热自燃对应的平板反应物的Frank - Kamenetskii参数δ值应大于等于0.9。

体系的Frank-Kamenetskii参数δ值取决于体系的物化参数、厚度以及环境温度等因素，它是一个至关重要的参数。在物化参数确定、样品厚度一定的情况下，δ仅随环境温度的变化而变化，为了更清晰地看出不同样品δ随T_a的变化规律，对PbN_6和$Mg/NaNO_3$进行了比较，首先根据式(5-10)分别计算$a_0=0.1$ cm时PbN_6和$Mg/NaNO_3$的δ，分别记作$\delta_1(T_a)$、$\delta_2(T_a)$：

$$\delta_1(T_a) = 6.6594\times10^{22} /[T_a^2 \exp(18\,620/T_a)]$$

$$\delta_2(T_a) = 3.9813\times10^{25} /[T_a^2 \exp(17\,801/T_a)]$$

$\delta_1 \sim T_a$和$\delta_2 \sim T_a$的关系曲线绘于图5-3中。从图5-3很容易看出，PbN_6的Frank-Kamenetskii参数δ_1从$T_a=430$ K附近开始随T_a的变化十分迅速，或者说曲线的斜率增加得很快；在$T_a=470$ K附近，δ_1已经接近1，即接近热自燃的情况。$Mg/NaNO_3$的$\delta\sim T_a$关系也有相似的规律，但$Mg/NaNO_3$的热自燃温度约在380 K附近，比PbN_6要低，这说明PbN_6较$Mg/NaNO_3$更安全。

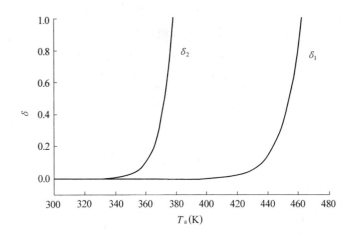

图 5-3　PbN$_6$ 和 Mg / NaNO$_3$ 的 $\delta\sim T_a$ 关系

数值计算的正确性和适用性，最终应通过实践来检验。根据临界的无量纲激光强度 β，运用式 (5-12) 便可求出实际的临界激光强度 I_0。表 5-8 和表 5-9 分别列出了 $a_0 = 0.1\ cm$，T_a 分别为 280、290、300、310 K 和 320 K 时 Mg / NaNO$_3$ 和 PbN$_6$ 发生点火的临界激光强度 I_0 值。从表中可以看出，I_0 随着 T_a 的增大而减小。这意味着，环境温度越高，使反应体系发生点火所需的激光强度越小，这与实际经验是一致的。事实上，环境温度 T_a 值越大，系统的 δ 值越大，$\delta > \delta_{cr}$ 的点火条件也就越容易满足。Mg / NaNO$_3$ 和 PbN$_6$ 临界激光强度 I_0 随 T_a 的变化关系如图 5-4 和图 5-5 所示，比较图 5-4 和图 5-5 可以看出：

（1）在相同的环境温度和相同的厚度下，PbN$_6$ 发生点火的临界激光强度比 Mg / NaNO$_3$ 要低得多（相差一个数量级）。

（2）当 T_a 在 280 ~ 320 K 之间时（$a_0 = 0.1\ cm$），随着环境温度 T_a 的升高，对应于 Mg / NaNO$_3$ 和 PbN$_6$ 的临界激光强度 I_0 减小，$I_0 \sim T_a$ 曲线都近似成一直线，斜率分别为 $-1.65\times10^4\ W / (m^2 \cdot K)$

和$-0.061\ 3\times10^4\ W/(m^2\cdot K)$，说明随着环境温度的升高，Mg／$NaNO_3$的临界激光强度下降得比$PbN_6$要快。

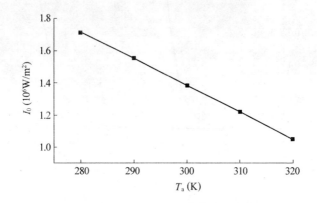

图 5-4　Mg／$NaNO_3$临界激光强光I_0随环境温度T_a的变化

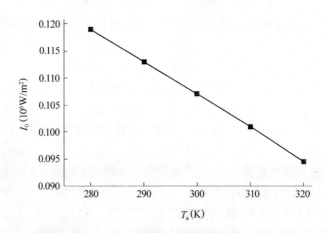

图 5-5　PbN_6临界激光强度I_0随环境温度T_a的变化

图 5-6 和图 5-7 分别反映了T_a为 300K 时，Mg／$NaNO_3$和PbN_6的临界激光强度I_0随a_0变化的关系曲线。

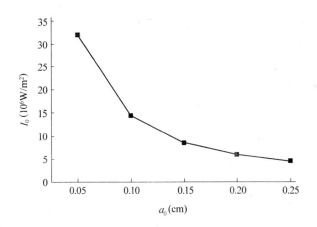

图 5-6　Mg / NaNO$_3$ 临界激光强光 I_0 随 a_0 的变化

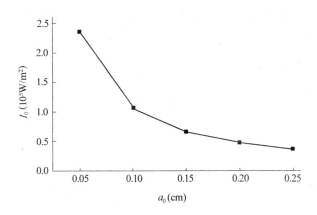

图 5-7　PbN$_6$ 临界激光强度 I_0 随 a_0 的变化

临界激光强度 I_0 随 a_0 的增大而减小，这是不难理解的。随着 a_0 的增加，反应体系的 Frank-Kamenetskii 参数 δ 增大，因此在光强较小的情况下就可以满足 $\delta > \delta_{cr}$ 的点火条件。另一方面，随着 a_0 的增大，两条曲线都逐渐趋于平缓，即 ΔI_0 与 Δa_0 的比值逐渐减小，表明 T_a 为 300 K 时，随着反应物厚度的增加，临界激光强度 I_0 减小的幅度在下降，这预示在 a_0 取值有限的情况下，外界能量（激光能）的输入仍然是使系统点火的必要条件。

为进一步说明这个问题，由式(5-10)计算 T_a 为 300 K 时，Mg / NaNO$_3$ 的 Frank-Kamenetskii 参数 δ 与 a_0 的关系如下：

$$\delta = 5.851\ 5 \times 10^{-20} a_0^2$$

可以看出，在 a_0 值有限的情况下，δ 远远小于 1，也就是说，系统不会发生热自燃。

本章从激光二极管点火的热作用机理出发，建立了激光二极管点火的物理模型和数学模型，并在原有程序的基础上对程序进行进一步的改进，计算得到了平板反应物在激光作用下，Bi 数一定、不同激光强度时，指数近似($\varepsilon = 0$)和 Arrhenius 反应速率($\varepsilon \neq 0$)两类情况的临界点火参数。结果表明，计算值与理论分析、实验结果及文献值等具有较好的一致性。

第6章　激光点火装置设计

6.1　激光点火装置研究背景

　　激光点火装置不含电爆元件，将炸药、烟火剂与电源真正隔离，而光纤的抗电磁干扰特性又消除了激光点火装置中的寄生信号，因此与传统的把电能作为初始激发能量的点火设计模式相比，激光点火装置在静电、射频等电磁环境下意外发火的危险性将被完全克服，其安全性将得到[92~104]根本改善。

　　激光点火装置除了具有高安全性外，还可重复使用，因此在研制阶段可节省大量经费。与电爆装置相比，激光点火装置不需要对火工元件进行射频和静电感度试验、绝缘电阻试验及桥带(丝)测试等，而光导纤维的连续性也可通过简单的检测装置进行监测，无须进行无损检测，因而大大简化了生产工艺和质量检测试验。

　　美国于1986年就着手在"侏儒"导弹上进行激光点火技术研究。该点火装置主要由 Nd: YAG 固体激光器、光导纤维、激光发火管、隔板点火器、光纤通路检测装置等组成。其主要特点是：①在激光器的设计上采用了安全保险装置，可防止激光的误触发引起装置误发火；②该装置具有时序点火功能。可根据不同需要，在不同的时刻按上控制指令仅用单套装置便可完成弹上电池激活、地面弹射动力装置燃气发生器和主发动机点火，以及推力向量控制、末级发动机阀门开启等多种功能。另外，美国在 Pegasus 火箭的一级主发动机的尾翼控制发动机上已开始采用半导体激光点火装置，并通过了飞行试验的考核。

随着激光发火管激光感度的提高，半导体激光点火装置以其设计简单、成本低廉、工作可靠的特点越来越受到人们的重视。进行激光点火装置设计与研究也势在必行。

6.2　激光单点点火装置

6.2.1　系统组成

实用的激光二极管单点点火系统主要由 3 部分组成：①保险与解除保险装置；②光纤耦合的激光二极管；③点火器。保险与解除保险装置控制并启动激光二极管驱动器，激光二极管驱动器提供驱动电流使激光二极管工作，激光二极管发出的激光通过光纤传输到点火器，点燃点火药，点火药燃烧释放的能量传递到下一级，完成预定的做功任务。图 6-1 是激光二极管点火系统组成示意图。

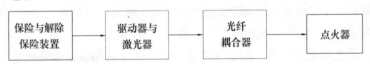

图 6-1　激光单点点火系统组成示意图

6.2.2　激光二极管点火器设计

一种较典型的激光二极管点火器的设计技术指标如下：

(1)点火能量阈值小于 5 mJ；

(2)点火时间小于 10 ms；

(3)体积小于 $\Phi10$ mm × 10 mm；

(4)能量输出为可靠点燃黑火药；

(5)电源输入为 DC-28V；

(6)设计可靠度为 0.995；

(7)设计安全失效率＜10⁻⁶；

(8)其他符合美军标 MIL-STD–1901 要求。

该激光二极管点火器的结构设计如图 6-2 所示。光纤通过光纤耦合器将激光二极管与点火药相连，点火药与点火光纤之间有一聚焦式光学玻璃窗口，其作用是减小激光辐射面积，提高激光辐射能量密度，从而降低临界激光点火能量。激光二极管连续输出功率大于 1 W，波长在近红外区；玻璃窗口对所使用波长的激光透明(无吸收)；光纤接头的端面采用抛光的方法使金属表面光洁，并保证光纤与金属端面在同一平面上。光纤接头与点火器的联结采用螺纹式或收口式，保证接头与装药窗口表面紧密接触；光纤芯径为 100~200 μm，光纤内、外层及防护外壳均选用强度及韧性好的材料；点火药为按特定工艺压制而成的密度合适的硼/硝酸钾或镁/聚四氟乙烯粉剂；点火器采用铝合金外壳(从开孔处输出火焰)或制成药盒式结构。

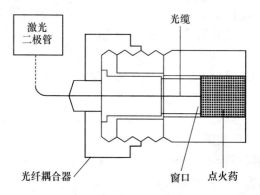

图 6-2　激光二极管点火器结构示意图

同其他点火系统一样，激光二极管点火系统的安全可靠性是至关重要的，尽管光纤传输激光引燃点火药比电桥丝点火更安全。

为实现安全储存和可靠触发，需要在激光二极管及驱动器前以及光纤光路中安装保险和解除保险装置，同时对激光二极管、点火药及所有的电子、机械元件的质量、性能均有较高要求。对环境温度、压力、振动、加载、加速运行等外部因素及其他恶劣条件下可能引发的意外和隐患有足够可靠的防范措施。对点火药的安定性、激光感度、失效过程与机理等可以通过理论分析、实验、模拟仿真、数值计算等作出准确鉴定和评价，并在此基础上对系统加以改进、完善。

该激光点火装置可用于火箭、导弹的做功系统。

6.3 激光双路点火装置

6.3.1 工作原理及技术指标

该激光点火装置的工作原理[105]是：当发动机需要工作时，给激光器控制电路通电、升压，通过控制仪打开激光器光闸，按激光触发开关，激光器输出激光，激光经光导纤维传输至激光发火管并将其引燃，继而引爆隔板点火器，隔板点火器输出能量再将主发动机点火装置点燃，最后点燃主发动机装药。

激光点火装置拟定达到的技术指标如下：

(1) 激光器输出能量不小于 0.6 J；

(2) 可实现双路点火；

(3) 装置质量不大于 1.4 kg；

(4) 与发动机接口良好；

(5) 力求火工品装药钝感化；

(6) 具备点燃固体火箭发动机的功能。

为防止误触发引起火工品误发火，激光器应考虑安全保险装置设计；为提高装置的点火可靠性，采用冗余设计技术，另外还应考虑其质量、密封结构以及能够经受一定环境试验条件的要求等。

6.3.2　结构设计与试验

该激光点火装置主要由激光器、控制激光触发的控制仪、光导纤维、激光发火管以及点燃发动机点火装置的隔板点火器等构成。

6.3.2.1　激光器

激光器是激光点火装置的核心部件，其主要参数为使用寿命与输出激光能量大小。激光器采用脉冲激光器，不需要冷却系统，其光棒材料选择国内技术较为成熟的 Nd：YAG 材料，它具有光学质量好、增益高、导热率高、阈值低，且在高、低温下结构稳定、不存在相变等优点。

激光器采用了安全保险装置，可通过控制仪实现光闸的开与关，并可通过仪器准确显示其所处的状态。

激光器在进行了部分力学环境试验和高、低温试验以及环境试验后，输出能量不小于 1.0 J，说明其能够经受一定环境试验的考验。

6.3.2.2　光导纤维

光导纤维的功能是传输激光，主要参数为传输效率和结构强度。

光导纤维选择集束型光纤材料，其输入接头与激光器输出端采用耦合设计，提高了激光与光导纤维之间的耦合效率。为实现双路点火，在光导纤维的输出端采用了冗余设计技术。

与激光器进行的匹配试验表明，加上 1.5 m 的光纤后，光导纤维单路输出能量不小于 0.3 J。

6.3.2.3　激光发火管

激光发火管在系统的引传爆过程中起着承上启下的作用，它由金属壳体、加强帽、装药等组成。激光发火管与光导纤维输出接头之间采用螺纹连接，可确保光纤端面与激光发火管的可靠连接和激光发火管发火后的结构密封。

根据以往火工品设计经验和激光器能量水平，试验先从激光感度高的装药(如氮化铅)入手进行，然后逐步向对激光感度较低的装药(如太安)过渡。首先对装有氮化铅的激光发火管进行了发火试验，而后对糊精氮化铅(静电感度比氮化铅低两个数量级)及烟火剂(主要成分为氯酸钾)装药的激光发火管进行发火试验，试验均取得成功。同时还对装有钝感炸药，包括太安、黑索金、奥克托今装药的激光发火管进行了发火试验研究。

为保证激光发火管的可靠性，采取了一系列提高装药对激光感度的措施，如进行石墨光敏化处理、降低装药密度、采用超细结晶装药以及对激光发火管采用透镜聚焦以提高激光到达装药表面的能量密度等措施。

激光发火管按"起爆药＋炸药"方案进行分层装药设计。试验表明，糊精氮化铅光敏化后可以引爆太安、黑索金、奥克托今等炸药，从而为实现隔板点火器装药钝感化奠定了基础。

试验得出，激光发火管起爆能量小于 0.034 J，而从试验中测得光导纤维输出能量不小于 0.3 J，说明激光发火管具有很高的激光发火裕度。

6.3.2.4 隔板点火器

隔板点火器为激光点火装置终端元件，由施主装药、隔板壳体、受主装药、点火药等组成。

作为一个单独的部件，隔板点火器可装在发动机头部，与光导纤维输出端通过螺纹连接，不受发动机工作时高温、高压燃气的影响，便于实现激光器、光导纤维的远距离安装，也可与多种型号发动机形成良好的机械接口，便于实现点火设计系列化。

依据激光发火管设计状态，对隔板点火器进行了不同装药的匹配试验，试验表明，对"烟火剂"和"糊精氮化铅＋太安"的激光发火管而言，可分别引爆"起爆药"和"太安"装药的隔板点火器，从安全角度划分，分别属于非钝感装药和钝感装药。

6.3.3 系统试验结果及性能

6.3.3.1 试验内容

试验内容具体包括：

(1)测试从激光触发到隔板点火器发火为止的延迟时间。测试结果表明，发火延迟时间小于1 ms，远小于目前广泛使用的电发火管规定的发火延迟时间50 ms。

(2)点燃点火药盒试验。在激光发火管引爆隔板点火器成功的基础上，成功地点燃发动机点火药盒。

(3)点燃点火装置试验。点燃点火药盒试验成功后，又相继进行了点燃两发点火装置试验，系统双路引传爆成功，点火装置压强—时间曲线正常。试验系统如图6-3所示。

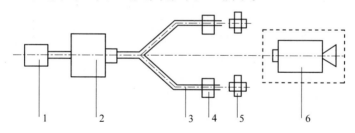

图6-3 激光双路点火装置试验系统

1—控制仪；2—激光器；3—光纤；4—激光发火管；
5—隔板点火器；6—火箭发动机

6.3.3.2 达到的性能指标

系统试验达到的性能指标为：

(1)激光器输出能量不小于1.0 J；

(2)实现了双路点火；

(3)结构质量不大于0.9 kg；

(4)与发动机接口良好；

(5)激光发火管、隔板点火器装药分别实现了装药半钝感、钝感化；

(6)具备了点燃固体火箭发动机的功能。

双路激光点火装置的良好性能，不仅使其可用于固体燃料发动机点火系统，而且在导弹自燃、级间分离等领域都将有广阔的应用前景。

6.4　激光多点点火装置

6.4.1　研究背景

激光多点点火技术是将激光器发出的激光能量通过光纤及光纤网络引入到火炮装药床中，同时点燃预先埋设于药床中的各感光－点火点，通过点火点点燃发射药装药，达到整个装药床均匀一致地点火的目的[106]。在高膛压、高装填密度的反坦克火炮装药结构中，使用激光多点点火系统取代传统的底部点火和中心传火管结构的点火方式，有利于改善高膛压、高装填密度的反坦克火炮装药结构中的火焰传播特性，大幅度地减少膛内压力波的传递与反射，提高火炮的射击安全性。在以模块组合装药技术为基础的远程先进加榴炮系统中，使用激光多点点火技术可以有效地解决低号装药的点火距离问题。在低号装药射击条件下，如果模块滑向弹丸底部，则形成大的点火距离，用传统的底部底火点火就不能保证模块组稳定地被点燃，而激光点火技术却能容易地达到点火，无论点火距离如何。同时，激光点火技术完全去掉了自动装填系统中难以插入和拔出的底火而简化了点火系统的装填，满足了快速装填、速射和高射击精度对点火系统的要求。另外，激光多点点火系统还具有结构简单、操作方便的特点，可以进一步改善火炮–装药系统的可靠性、简便性和安全性。因此，激光多点点火系统在未来的先进加榴炮和反坦克炮等的装药结构设计中具有广泛的应用前景。

6.4.2 激光多点点火系统结构设计

激光多点点火是将激光器发射出的激光能量通过传输光纤引入到布置在装药床中的光纤网络，依靠激光能量点燃光纤网络末端的多个感光–点火点点燃点火药并引燃整个装药床，完成装药床的点火过程。因此，激光多点点火系统包括了激光器、激光传输光纤、药室激光传输窗口、光纤网络、感光–点火点和点火药。激光多点点火系统配置见图6-4。

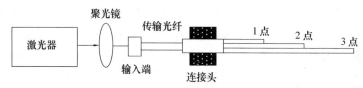

图6-4　激光多点点火系统配置

6.4.2.1 激光器及激光传输系统

1) 激光器

激光器是激光多点点火的能量来源。激光器参数包括能量、功率密度、脉冲宽度、波长及重复率。目前，作为点火源的激光器主要有稀有气体放电激光器(准分子激光器)、CO_2 激光器、固体激光器如 Nd: YAG 激光器以及半导体激光器等。其中石榴石激光器可以制成很小的形状，而且性能可靠、寿命长、价格低廉，特别是 1.06 μm 的激光波长可以稳定地通过耐性较好、价格便宜的石英玻璃光纤，并且经过一段很长的距离，能量几乎没有损失。因此，可选掺钕钇铝石榴石激光器作为激光点火光源。试验研究使用的掺钕钇铝石榴石激光器能够产生 1.0~10 ms 的激光脉冲，单个脉冲输出能量约为 1.8 J，光束直径依赖于激光点火试验所用透镜的焦距，可根据需要调节。

2）激光传输光纤

激光器发出的激光束通过透镜聚焦于一单根长 8 m、直径为 0.9 mm 的石英玻璃光纤。该传输光纤的作用是将激光从激光器引入到试验装置的光学玻璃窗口，进而传入光纤点火网络。如前所述，石英玻璃光纤的特点是掺钕钇铝石榴石激光器发出的激光在其中通过时，几乎没有能量衰减。

3）激光传输窗口

传输光纤与光纤点火网络连接包括了激光引入药室的窗口设计，从连接类型上划分，可以分为单光纤与单光纤的连接和单光纤与多光纤的连接。激光点火系统中一个很难解决的问题就是研制出一种炮闩窗，它不仅要能够使激光顺利通过而能量损失很小，还要密闭膛内火药气体，同时使窗口污染降到最小。在火炮的炮尾上专门设计了一个石英玻璃窗口，传输光纤从外部插入，点火网络光纤则从内部插入药筒底火座上的插孔中，依靠网络光纤插头与药筒金属插座的粘结窗和炮闩石英窗密闭膛内火药气体，传输光纤输出的激光通过石英窗口照射在光纤网络的输入端上。光纤网络插头与金属插座之间的良好密封可使炮闩石英窗避免严重污染，不必每次射击后清理炮闩石英窗。该结构示意图见图 6-5。

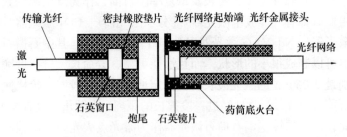

图 6-5　炮尾光纤连接窗口示意图

6.4.2.2　光纤点火网络

光纤点火网络是指埋设于药床中的光纤点火系统，它一般由光纤网络插座、分支光纤和感光－点火点等组成。

1）光纤网络

激光多点点火技术的关键是光纤网络结构设计，点火点的数目则取决于激光脉冲能量的大小。由于激光器激光脉冲能量的限制，为确保每个分支光纤都具有足够的激光能量，点燃其端点的点火药，仅设计了 3 个点火点的激光多点点火光纤网络，其结构见图6-4。

2）感光－点火点

以往的研究工作已经证明，黑火药在激光器能量和脉冲持续时间的很宽范围内都是很容易被点燃的。同时，与其他烟火药相比较，黑火药又是目前较为广泛地被使用的火炮装药的点火药，具有较好的相容性、安定性和点火的可靠性。因此，采用黑火药作为感光－点火点材料，外层则由硝化棉药托包裹，光纤网络分支的端点被固定在药托上，以保证激光准确作用在黑火药颗粒上。感光－点火点结构设计见图6-6。

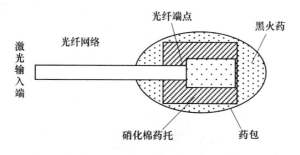

图6-6　感光－点火点结构示意图

6.4.3　激光多点点火试验

火炮激光多点点火试验装置与测试系统包括滑膛火炮、激光器、传输光纤、光纤网络和感光－点火点以及多通道数据采集系统、压力传感器。试验分常规底部点火和激光多点点火试验两部分。试验及测试系统装置见图6-7。

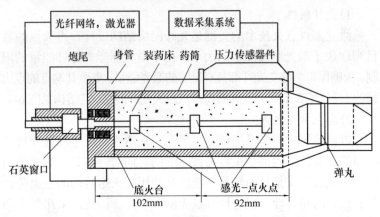

图 6-7　火炮激光多点点火装药结构与测试系统示意图

由试验测得的数据(见表6-1)和实测的压力波曲线(见图6-8)可以看出，由于激光点火具有较好的点火一致性，因此它可以有效地降低膛内压力波的产生，特别是人们认为的对压力波具有明显的推波助澜作用的第一负压差前面的第一正压差，激光多点点火与常规底部点火相比较明显地降低，甚至没有出现，这进一步说明了激光多点点火在装药中具有良好的点火同时性，并与火炮装药结构具有较好的结构匹配。在相同的装填条件下，激光多点点火比底部点火具有较高的初速和压力，最大压力约提高了 3%，初速约提高了5%。这是由于底部点火的点传火结构，点燃装药的火焰主要来自于底部，因此药床内的压力上升和建立起稳定的点火火药燃烧的时间存在着明显的差异，使得装药在以后的燃烧过程中也存在着明显的差异；而采用激光多点点火，点火火焰来自于均匀分布于药床内的多个感光－点火点，可在药床内多处同时着火，在较短的时间内，迅速点燃整个装药，建立起稳定的燃烧和均匀的压力分布。因此，与底部点火相比较，激光多点点火可以获得较高的压力和弹丸初速。

表 6-1　30 mm 火炮激光多点点火部分试验结果

组序	发序	p_1 (MPa)	p_2 (MPa)	$-\Delta p$ (MPa)	Δp (MPa)	Δt (ms)	v_0 (m/s)	点火
1	1	85.4	80.0	−5.50	2.30	0.18	665.3	底火
2	1	100.4	90.8	−1.90	—	−0.04	700.1	激光
	2	99.7	90.0	−0.30	—	−0.04	708.2	激光
	平均	100.1	90.4	−1.10	—	−0.04	704.2	激光
3	1	130.9	118.8	−5.19	11.18	0.24	798.0	底火
4	1	146.4	132.6	−1.72	0.84	0.06	840.1	激光

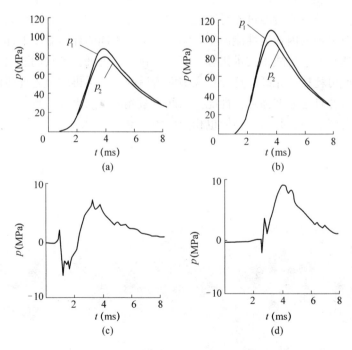

图 6-8　实测压力曲线和压力波曲线

激光多点点火的实验研究表明，激光多点点火技术是一项很有发展前途、可以完全取代传统的底部底火点火的技术。大口径火炮激光点火系统的研制对解决与装药床内可靠和稳定的火焰传播性能等有关的问题有很大的潜力，特别是降低高膛压、高装填密度的反坦克火炮中由于底部点火而形成的较强的压力波具有明显的作用。装药床中，通过光纤网络所分布的激光能量不仅能保证装药的同时点火，而且由于从火药中去掉了所有的底火和点火剂而减少了整个系统的脆弱性。电子与工程技术的发展已经生产出了适合用做点火具的小型高能的激光系统，超小型、高能的激光二极管已在研制之中，它能容易地点燃高能炸药或火药以及类似的含能材料。激光多点点火系统的另一个重要应用就是可以通过温度补偿或者经过光纤时能按程序传递等形式，使激光点火系统对火炮的内弹道性能产生影响，以至在不同的环境温度下都可以达到要求的战术技术指标。光纤材料的新进展会导致制造出含能或可耗掉的光纤，这样在火炮射击后膛内将不再剩余光纤残留物，并且还能增强点火性能。因此，激光多点点火技术具有巨大的发展潜力，其研究领域也相当广阔。

第7章 点火药的感度研究

在激光点火系统中需要使用点火药、传火药等火工、烟火药剂，为精确设计并确保系统的安全、可靠，必须全面了解各类药剂的感度和点火特性。这是本章研究的出发点和主题。

7.1 点火药的感度及测试方法

7.1.1 含能材料的感度

含能材料在外界能量的刺激作用下发生分解乃至爆轰的敏感程度称之为含能材料的感度。与热、冲击波、机械撞击、摩擦、火焰、光照、爆轰波、静电火花等刺激作用相对应的感度分别称为热安定性、冲击波感度、撞击感度、摩擦感度、火焰感度、光感度、起爆感度、静电火花感度等。

从含能材料使用的安全可靠性考虑，应当寻求低感度的含能材料，或者说在不降低含能材料的能量特性的前提下，尽可能地降低其感度。因此，寻找提高含能材料能量及安定性的化学和物理途径，开发新型高能钝感含能材料，是一项长期和重要的研究工作。

研究表明，含能材料的感度首先取决于其分子结构特性，如取代基的种类及特性、分子中弱键的强度以及分子构型等。有研究者[107]发现，芳香族硝基化合物的撞击感度和冲击波感度与C-NO$_2$键的稳定性相关；含羟基的芳香族硝基化合物具有很高的撞击感度，这与该类分子生成少量不稳定的氮酸异构体有关；含烷基的芳香族硝基化合物撞击感度和冲击波感度降低，但热安定性却变差；硝胺类化合物和脂肪族硝基化合物的冲击波感度指标与分子中键数和平均键长成正比，与分子量成反比等一系列规律。

含能材料的感度除取决于其分子结构特性外，还同其物理性质如密度、粒度、掺杂、配比以及外形等密切相关。在本书的第3章已经涉及到药剂的激光感度及影响药剂激光感度的因素分析，本章将做更全面、更具体的论述。

7.1.2 感度试验研究方法

感度试验的任务大体可分为两类：一类是硬件方面，即如何设计试验条件和装置，获得对某种刺激形式的感度数据；另一类是软件方面，即从统计学角度设计试验程序，最有效地获取关于感度分布的感度数据，运用数理统计学原理建立适合于感度数据的统计分析方法。

感度试验在确定火炸药感度、生物药剂敏感性、弹药及材料强度阈值等方面有着广泛的应用。感度试验按照试验程序的特点可分为非序贯试验和序贯试验，序贯试验比非序贯试验所需的试验量有较大程度的减少，因此序贯试验技术的发展特别受到人们的关注。Anderson[108]、Bartlett[109]、Dixon[110]等人相继对序贯试验进行了研究，多以 Dixon 的升降法作为第一个序贯感度试验方法。升降法试验程序操作起来比较简单，至今仍在火炸药及火工品感度试验中广泛使用。自升降法之后，又出现了 Robbins-monro 法、Langlie 法、OSTR 法、Wu 法等序贯感度试验方法。

7.2 序贯感度试验的设计原理

为了最有效地获得火炸药和火工品的感度数据，人们已设计了许多感度试验程序。依程序规定步骤进行试验，便可方便地获得所希望的感度数据。按照各个试验程序提供的参数计算方法，可以得出产品感度分布的参数估计，进而评定产品的安全性和可靠性。

Dixon 和 Wood 于 1948 年首次提出了一套完整的升降法序贯感度试验程序。此后，在前人方法的基础上又提出了许多序贯感度试验程序。最具有代表性的序贯试验程序应属升降法、RM 法和兰利法，而其他方法都可看做是这 3 种基本方法的改进。如小样本升降法、成组升降法、变步长升降法等可看做升降法系列；ARM 法、DRM 法、Wu 法、ARM-EQRC 法、DRM-EQRC 法等可看做是 RM 法系列；OSTR 法可看做兰利法系列[111, 112]。

感度数据的一般表现形式如下：

$$
\begin{vmatrix}
x_1 & x_2 & \cdots & x_k \\
N_1 & N_2 & \cdots & N_k \\
n_1 & n_2 & \cdots & n_k
\end{vmatrix}
$$

式中　k——试验刺激量的个数；

　　　x_i——试验刺激量；

　　　N_i——用 x_i 试验的样品个数；

　　　n_i——响应数。

7.2.1　序贯感度试验设计程序的描述和分析

7.2.1.1　升降法

升降法在文献中被称为 Bruceton 或 Up-and-Down Procedure。升降法是火炸药和火工品领域中应用最广泛的序贯试验程序。它适合用于求 x_{50} 估计，同时也可对标准差、发火上下限作出估计。升降法在测定引信炮口安全距离、材料疲劳强度、电池材料耐温、生物药剂学剂量响应等研究领域中也得到了广泛应用。我国对升降法制定了国军标 GJB377—87,并对原升降法求标准差估计和可靠性置信限做了修正。

确定一个升降法试验方案需要选择 3 个初始参数：步长 d、试验量 N 和第一刺激量 x_0。试验从 $x_1 = x_0$ 开始，下一个刺激量的选择按如下升降规则确定：如果试验不发火，记 $n_i = 0$，则 $x_{i+1} = x_i + d$；如果试验发火，记 $n_i = 1$，则 $x_{i+1} = x_i - d$。直到完成预定样本量的 N 次试验。

试验要求式样的临界刺激量服从正态分布，推荐初始参数方案选择为 $x_i = \mu$，$d = \sigma$，升降步台阶总数为 4～7 个。小于 4 时，对标准差估计偏差大；而大于 7 时，样本量将显著增大。升降法的升降规则使得试验刺激量集中在平均值附近进行，且在均值两边取值的概率各为 50%。

升降法估计量公式为一种近似的最大似然估计，公式如下：

$$\mu = x_0 + (\frac{A}{n} \pm \frac{1}{2})d \tag{7-1}$$

$$s = \rho d = 1.620(M + 0.029)d \tag{7-2}$$

式中　μ——均值；

$\quad\quad s$——标准偏差；

$\quad\quad \rho$——经验系数；

$\quad\quad d$——步长；

$$A = \sum_{i=1}^{k} i n_i' ;$$

$$B = \sum_{i=1}^{k} i^2 n_i' ;$$

$$M = \frac{nB - A^2}{n^2} ;$$

$$n = \min\left\{\sum_{i=1}^{k} n_i, \sum_{i=1}^{k} m_i\right\}$$

m_i——不发火数；

n_i——发火数。

7.2.1.2 兰利法

兰利法在文献中称为 One-Shot 或 Langlie Procedure，它同样适用于升降法的应用领域。兰利法已被美军标 MIL-STD-331A（1976）、MIL-STD-331B（1989）引入，作为推荐性试验方法。兰利法是一种变步长的序贯试验，由于刺激量步长在试验进程中随时得到调整，可以使试验刺激量很快收敛于感度分布的均值附近进行，所以直观上分析兰利法更有利于获得均值的样本信息，参数估值应该比升降法更稳定。

制定一个兰利法的试验方案需要确定 3 个参量：样本量 N、全响应上限 x_U 和全不响应下限 x_L。第一个试验点取 $x_1=(x_L+x_U)/2$，下一个试验点选择的一般规则是取 x_i 和 x_j 的平均值，其中 j 是自当前试验刺激量 x_i 往回数包含于 x_i 和 x_j 之间的响应结果为 1 和 0 的个数出现相等时的那个刺激量数据，如果不存在这样的 j，则当 x_i 是不响应时取 x_i 与 x_U 的平均值；当 x_i 是响应时取 x_i 与 x_L 的平均值。兰利法下一个试验点的估计量公式为

$$x_{i+1} = (x_i + x_j)/2 = x_i - (x_i - x_j)/2 \tag{7-3}$$

兰利法试验的终止准则是完成预定试验刺激量数 $k(=N)$ 或预定 0、1 结果转换次数，并同时要求感度数据应含有混合结果区间 (x_{1L}, x_{0U})，其中 x_{1L} 是感度试验中出现响应的最小刺激量，x_{0U} 是最大不响应刺激量。如果没有出现混合结果区间，则应继续增加试验，直到出现 $x_{0U}>x_{1L}$ 的结果为止。

兰利法的试验规则规定了响应为 1 和 0 的个数相等，这与升

降法相似,因而也可保证试验点分布在均值两边的概率各为50%。

兰利法的数据分析是采用数值算法直接求似然方程组的极大似然估计,主要的数值算法有 Newton 法和变尺度法。

7.2.1.3 OSTR 法

OSTR 法是 One-Shot Transformed Response 的缩写,是 Einbinder[113]于 1974 年提出的。OSTR 法将 Wetherill 响应规则[114]应用于兰利法试验程序中,其特点是在每个试验点试验 m 个样品($m > 1$),它可得到以 p 概率响应点为中值的估计,它比升降法、兰利法更适合于作极限百分点的估计。

OSTR 法试验设计程序是先确定要估计的 p 概率响应点 x_p,如果 $p > 0.5$,取每个试验点 x_i 的试验样品数 m,使

$$p^m = 0.5 \qquad (7\text{-}4)$$

用每个刺激量进行不多于 m 件样品的试验。此时,升降规则规定,只要出现不响应就停止同一试验点的试验,响应结果记为 U,取升步;当 m 件样品为全响应时,响应结果记为 D,取降步。取下一个试验点的规则同兰利法,即 $x_i+1=(x_i+x_j)/2$,只是将响应结果记号更改为 U 和 D,j 是 x_i 往回数包含于 x_i 和 x_j 之间的响应为 U 和 D 的个数第一次出现相等时的数据。

如果欲估计概率 $p < 0.5$,式(7-4)应改写为

$$(1-p)^m = 0.5 \qquad (7\text{-}5)$$

此时升降规则是:全不响应时为升步,响应结果记为 U;只要出现响应时就停止同一试验点的试验,取降步,响应结果记为 D。

OSTR 法试验终止准则,可以是预定的刺激量数 $k(\neq N)$ 或预定的 U、D 结果转换次数,并且检查感度数据是否含有混合结果区 (x_{1L}, x_{0U}),如果没有,应延伸试验,直到出现 $x_{0U} > x_{1L}$ 为止。

使用这一停止原则时试验所需的样品数量是一个变量。

显而易见，兰利法是 OSTR 法当 $m=1$ 时的特例。

OSTR 法的感度数据分析与兰利法相同。

7.2.1.4 RM 法

RM 法在文献中称为 Robbins-Monro Procedure，又称为随机逼近法。研究 RM 法的文献很多，相继出现一系列改进型的 RM 法，但还未见发布有关 RM 法的使用标准。RM 法适合于求任意 p 百分位点 x_p。

试验方案需要确定 4 个参数，即预求百分位点的 p、步长常数 c、试验数量 N 和第 1 试验点 x_0。第 1 次试验从 $x_1=x_0$ 开始，下一个试验点的估计公式为

$$x_{i+1} = x_i - a_i(y_i - p) \qquad (7\text{-}6)$$

式中　a_i——响应结果；

$y_i = n_i / N_i$，i 既表示试验次数又表示样本量大小。

建议步长乘数数列形式为 $\{a_i\} = \{c/i\}$。Robbins 和 Monro 证明，随着 $i \to \infty$，x_i 以均方律收敛于 x_p，所以每一个试验点 x_i 都是 x_p 的点估计。RM 法完成预定试验数量后的最后一个试验点，就是所要求的参数估计值。

根据 Chung、Hodges-Lehman、Sack[115]的研究结果，c 的最优形式为 $c = [F'(x_p)]^{-1}$。

7.2.1.5 Wu 法

Wu 法在文献中称为 Estimation Quantal Response Curve (EQRC) Procedure。Wu 法实际上是一种改进型的 RM 法，在第 $i+1$ 次试验的试验设计点选择为

$$x_{i+1} = x_i - \frac{d_i^*}{i}(y_i - p) \qquad (7\text{-}7)$$

式中 d_i^*——截断常数。

d_i^* 由下式确定:

$$d_i^* = \max[\min(d_i, d), \delta] \qquad (7\text{-}8)$$

其中 $d_i = \sum_{j=1}^{i}(x_j - \bar{x}_i)^2 / \sum_{j=1}^{i} y_i(x_j - x_i)$ ，$\bar{x}_i = \frac{1}{i}\sum_{j=1}^{i} x_j$ ，而 d 是

大于 4 的常数。步长常数序列具有截断关系 $\delta < d_i^* < \min(d_i, d)$ 。

当 i 很小或当前估计点 x_i 处于响应曲线尾部时，由于尾部是平坦的，使得式(7-7)中的 x_i 调整到 x_{i+1} 的步长较大而不合理。通过截断设计法式(7-8)，限制了试验点波动过大，保证 x_{i+1} 收敛于 x_p。Wu 法中将试验程序称为试验设计法，每个试验点称为设计点，所以每个 x_i 都被看做是百分位点 x_p 的估计。Wu 法在确定下一个试验点时比 RM 法利用了更多的已有数据信息，对估计更加稳定和有效。

7.2.2　序贯感度试验的设计原理分析

感度试验的设计任务主要是设计下一个试验点。各种序贯试验程序的下一个试验点的估计量公式列于表 7-1 中。

根据这些估计量公式的特征，就可以分析和讨论感度试验方法的设计原理。实际上，这些估计量公式可以归纳为如下两种形式。

(1)升降法系列:

$$x_{i+1} = x_i - c_i(y_i - p) \qquad (7\text{-}9)$$

(2)兰利法系列:

$$x_{i+1} = \frac{1}{2}(x_i + x_j) = \bar{x}_{ij} \qquad (7\text{-}10)$$

表 7-1　序贯试验程序的下一个试验点的估计量公式

试验方法	估计量公式
升降法	$x_{i+1} = x_i - 2d(y_i - p)/2$，$y_i = (0,1)$，$p = 0.5$
小样本升降法	$x_{i+1} = x_i - 2d(y_i - p)/2$，$y_i = (0,1)$，$p = 0.5$
成组升降法	$x_{i+1} = x_i - 2d(y_i - p)/2$，$y_i = n_i / N_i$
兰利法	$x_{i+1} = (x_i + x_j)/2 = x_i - (x_i - x_j)/2$， $y_i = (0,1)$，$p = 0.5$
OSTR 法	$x_{i+1} = (x_i + x_j)/2 = x_i - (x_i - x_j)/2$， $y_i = (U, D)$，$p' = p^m = 0.5$
RM 法	$x_{i+1} = x_i + \dfrac{c}{i}(y_i - p)$
DRM 法	$x_{i+1} = x_i + \dfrac{c}{i - i^* + 1}(y_i - p)$
ARM 法	$x_{i+1} = x_i - \dfrac{c}{i\hat{\beta}_i}(y_i - p)$， $\hat{\beta} = \displaystyle\sum_{j=1}^{i} y_i(x_j - \overline{x}_i)/\sum_{j=1}^{i}(x_j - \overline{x}_i)^2$
Wu 法	$x_{i+1} = x_i - \dfrac{d_i^*}{i}(y_i - p)$， $d_i^* = \max[\min(d_i, d), \delta]$
EQRC-DRM 法	$x_{i+1} = x_i - \dfrac{d_i^*}{i - i^* + 1}(y_i - p)$

已知分布函数 $F(x)$ 的曲线形状是 S 形，令

$$\psi(x) = F(x) - p$$

相当于曲线向下平移距离 p，则存在 ξ 是方程 $\psi(x)=0$ 的根。此时，$F(\xi)=p$，ξ 是对应于 p 的根，也就是 p 响应点的中值。

对于第一种形式估计量公式，式(7-9)可改写为

$$x_{i+1}-x_i=-\frac{\psi(x_i)}{\psi'(x_i)}=-\frac{F(x_i)-p}{F'(x_i)} \qquad (7\text{-}11)$$

这就是代数方程求解实根的 Newton-Raphson 迭代法。

如令 $[F'(x_i)]^{-1}=c/i$，则式(7-11)变为 RM 法，如下式所示：

$$x_{i+1}-x_i=-\frac{F(x_i)-p}{F'(x_i)}=-\frac{c}{i}(y_i-p) \qquad (7\text{-}12)$$

由此可见，序贯试验程序的设计原理具有与代数方程求实根相似的特点。RM 法实际上是通过切线逼近 x_i 处的 $F(x)$ 来求解 $F(x_p)=p$，每一个 x_i 是对 ξ 的一次估计，用 y_i 代替 $F(x_i)$ 和用 c_i 代替 $[F'(x_i)]^{-1}$ 的随机型的 Newton-Raphson 法。

如令 $[F'(x_i)]^{-1}=2d$，则式(7-11)变为升降法，如下式所示：

$$x_{i+1}-x_i=-\frac{F(x_i)-p}{F'(x_i)}=-2d(y_i-p) \qquad (7\text{-}13)$$

升降法是 RM 法固定步长时的特例，有文献称 RM 法是变步长的升降法。

对于兰利法，有 $\psi(x_L)<0$，$\psi(x_U)>0$。令 $a=x_L$，$b=x_U$，取 $[a,b]$ 的中点 $(a+b)/2$，若 $\psi[(a+b)/2]>0$，有 $\xi<(a+b)/2$ (结果为响应)，取新边界 $a_1=x_L$，$b_1=(a+b)/2$；若 $\psi[(a+b)/2]<0$，有 $\xi>(a+b)/2$ (结果为不响应)，取新边界 $a_1=(a+b)/2$，$b_1=x_U$。于是形成新区域 $[a_1,b_1]$，它包含 $\psi(x)=0$ 的根 ξ。按此方法作出区间 $[a_1,b_1]$，$[a_2,b_2]$，$\cdots$，$[a_i,b_i]$，

$\xi = (a_i + b_i) / 2$ 是方程 $F(x_p) = p$ 的近似解。由此可见，兰利法的下一个试验点估计量公式可看成是随机型的代数方程求实根的二分法。

序贯感度试验程序的设计原理除了具有与代数方程求根相似的特点以外，一般还包括以下几个特点：

(1)有一个规范化的试验程序和试验数据分析方法。试验程序包括升降规则、步长设计、升降的基点、试验停止准则、试验初始方案。数据分析包括均值分析、标准差估计、极限百分位点估计以及分布类型的检验。

(2)升降规则一般是依据当前响应结果，确定下一试验点是取升步还是降步，由升降规则保证试验点集中在预定百分位点附近取值。

(3)下一个试验点 x_{i+1} 都是以当前值 x_i 为基点，通过设计步长变量，保证 x_{i+1} 尽快收敛和稳定在预定的试验中值 x_p 附近，且尽可能避免不良初始方案的干扰。

(4)参数估计与试验初始方案的选择有关，理想的第一试验点 x_0 总是取预定的试验中值 x_p。

(5)试验终止准则一般是用固定的样本量或刺激量个数，而成组升降法和 OSTR 法则是用响应结果转换次数或固定刺激量次数。采用响应结果转换次数是考虑只有构成响应转换的两次试验刺激量的平均值才是试验中值的估计，据此保证试验的成功和参数估计的精度。

7.3 计算机模拟升降法试验

7.3.1 感度试验的蒙特卡洛模拟方法

按照蒙特卡洛法的原理，模拟感度试验程序需要产生两种变量序列：临界刺激量数 x_{ci} 和试验刺激量数 x_i。x_{ci} 的产生服从选定的概率分布模型，是试验中的随机变量；x_i 的产生符合某种感度试验程序的操作规则，是由试验程序确定的控制变量和试验设计点。

在模拟感度试验中，常假设临界刺激量 x_{ci} 服从正态分布或变换正态分布，产生服从正态分布的 x_c 的方法是由[0，1]上均匀分布的随机数 r，按标准正态分布反函数 $u_r = \varphi^{-1}(r)$ 产生的标准正态分位数 u_r，再按公式 $x_c = \mu + u_r\sigma$ 产生服从一般正态分布的随机变量 x_c。标准正态分布的分布函数为

$$\phi(u) = \int_{-\infty}^{u} \frac{1}{\sqrt{2\pi}} e^{-t^2/2} dt \qquad (7\text{-}14)$$

计算标准正态分位数的分析解，可采用如下近似公式（见文献[112]），其最大绝对误差为 0.000 44。

$$u_r = \begin{cases} u & n = 1-r & (0.5 < r < 1) \\ 0 & & (r = 0.5) \\ -u & n = r & (0 < r < 0.5) \end{cases} \qquad (7\text{-}15)$$

式中 $u = \omega - \sum_{i=0}^{2} a_i\omega^i/(1 + \sum_{i=1}^{3} b_i\omega^i)$，其中 $\omega = (2\ln v)^{-1/2}$，$a_0 = 2.525\ 517$，$a_1 = 0.802\ 853$，$a_2 = 0.010\ 328$，$b_1 = 1.432\ 788$，$b_2 = 0.189\ 269$，$b_3 = 0.001\ 308$。

对于升降法试验，其模拟步骤如下：

（1）产生随机数 r_i，按正态分布反函数产生 x_{ci}，作为临界刺激量；

（2）产生试验刺激量 x_i，第一试验点取初始参数 x_0，下一个试验点的估计量公式为

$$x_{i+1} = x_i - 2d(y_i - 0.5)$$

（3）比较两种变量的大小，当 $x_{ci} < x_i$ 时，记 $y_i = 1$；当 $x_{ci} \geqslant x_i$ 时，记 $y_i = 0$；

（4）产生下一对 x_{ci} 和 x_i，比较变量大小并记录结果 y_i，直至完成 N 次试验。

7.3.2　升降法模拟试验的研究方案

确定一个升降法的试验方案需要确定 3 个参数，即步长、第一刺激量和样本量。在分析感度数据时，因可以除去不好的刺激量，如对于第一刺激量，当选择偏离 50%点较远而连续出现同一响应结果（全为 1 或 0）的情况时，可以除去第一次响应变换前的刺激量，因此可不考虑 x_0 变量的影响。

升降法的模拟试验方案可参见表 7-2（初始参数选择了步长比 d/σ 和样本量 N）。该方案充分包含了实际可能遇到的情况，并考虑了各种不同的初始参数选择。

表 7-2　升降法的模拟试验方案

分布函数	d/σ	N	x_0	样本组数
正态分布 $N(10, 1^2)$	1/8, 1/4, 1/2, 3/4, 1, 1, 5, 2, 2, 5, 3, 4	15, 20, 30, 50, 100, 114, 200	10	50

7.3.3　升降法较好试验条件和参数估计精度分析

表 7-3 ~ 表 7-8 中数据是以 d、N 为变量，升降法模拟试验的不同参数估计结果，每个数据为 50 组样本参数估计的平均值，总体分布取 $\mu = 10$，$\sigma = 1$。

表 7-3　升降法的 $\hat{\mu}$ 与 d、N 的关系

正态分布	步长比 d/σ				
N	0.125	0.25	0.5	0.75	1
15	10.02	10.08	10.11	10.12	10.10
20	10.02	10.00	9.97	9.89	10.05
30	10.02	10.01	9.92	10.01	9.99
50	10.09	10.12	10.00	10.07	10.05
100	9.96	10.01	10.11	10.02	10.01
114	10.03	10.01	10.02	9.99	10.01
200	9.96	10.01	9.93	10.05	10.03
正态分布	步长比 d/σ				
N	1.5	2	2.5	3	4
15	10.06	10.00	10.05	10.04	10.00
20	9.96	10.01	9.95	10.01	10.06
30	10.03	9.94	10.07	10.01	9.93
50	9.92	10.02	9.97	10.04	9.93
100	10.00	10.00	9.97	9.98	9.96
114	10.05	10.01	9.96	10.00	10.01
200	10.04	10.00	10.03	10.00	10.00

表 7-4　升降法的 $[\mathrm{MSE}(\hat{\mu})]^{1/2}$ 与 d、N 的关系

正态分布	步长比 d/σ				
N	0.125	0.25	0.5	0.75	1
15	0.258	0.310	0.386	0.331	0.267
20	0.263	0.328	0.389	0.424	0.378
30	0.185	0.311	0.273	0.273	0.315
50	0.394	0.306	0.244	0.261	0.261
100	0.263	0.348	0.305	0.208	0.241
114	0.242	0.243	0.199	0.204	0.261
200	0.329	0.246	0.235	0.285	0.202

续表 7-4

正态分布 N	步长比 d/σ				
	1.5	2	2.5	3	4
15	0.341	0.258	0.282	0.291	0.299
20	0.414	0.266	0.303	0.259	0.301
30	0.367	0.216	0.224	0.253	0.198
50	0.283	0.238	0.302	0.256	0.193
100	0.198	0.175	0.218	0.136	0.138
114	0.210	0.210	0.224	0.186	0.181
200	0.152	0.172	0.201	0.175	0.136

表 7-5 升降法的 $\hat{\sigma}$ 与 d、N 的关系

正态分布 N	步长比 d/σ				
	0.125	0.25	0.5	0.75	1
15	0.251	0.416	0.616	0.730	0.742
20	0.342	0.490	0.639	0.835	0.787
30	0.554	0.634	0.677	0.797	0.912
50	0.542	0.669	0.853	0.892	0.959
100	0.762	0.791	0.892	0.907	0.925
114	0.881	0.935	0.920	0.915	0.940
200	0.794	0.980	0.945	0.942	0.954

正态分布 N	步长比 d/σ				
	1.5	2	2.5	3	4
15	0.600	0.465	0.520	0.610	0.798
20	0.551	0.488	0.440	0.603	0.788
30	0.737	0.592	0.702	0.574	0.777
50	0.919	0.682	0.687	0.683	0.696
100	0.949	0.967	0.804	0.644	0.735
114	0.967	0.995	0.675	0.626	0.568
200	0.929	0.913	0.759	0.656	0.754

表 7-6　升降法的 $[\mathrm{MSE}(\hat{\sigma})]^{1/2}$ 与 d、N 的关系

正态分布 N	步长比 d/σ				
	0.125	0.25	0.5	0.75	1
15	0.777	0.646	0.515	0.568	0.448
20	0.703	0.565	0.545	0.385	0.455
30	0.534	0.463	0.439	0.344	0.321
50	0.560	0.409	0.382	0.312	0.255
100	0.432	0.323	0.271	0.253	0.200
114	0.410	0.343	0.285	0.200	0.212
200	0.316	0.305	0.185	0.153	0.182

正态分布 N	步长比 d/σ				
	1.5	2	2.5	3	4
15	0.493	0.591	0.492	0.384	0.351
20	0.384	0.499	0.587	0.403	0.317
30	0.363	0.508	0.491	0.496	0.266
50	0.304	0.395	0.502	0.484	0.331
100	0.208	0.217	0.331	0.280	0.351
114	0.206	0.183	0.360	0.321	0.305
200	0.156	0.224	0.254	0.330	0.271

表 7-7　升降法对临界刺激量上限 $\hat{x}_{0.99}$ 估计与 d、N 的关系

正态分布 N	步长比 d/σ				
	0.125	0.25	0.5	0.75	1
15	10.60	11.05	11.54	11.82	11.82
20	10.82	11.14	11.46	11.83	11.88
30	11.30	11.48	11.49	11.86	12.11
50	11.35	11.67	11.98	12.15	12.28
100	11.73	11.85	12.19	12.13	12.16
114	12.08	12.19	12.16	12.11	12.04
200	11.81	12.29	12.13	12.24	12.25

续表 7-7

正态分布 N	步长比 d/σ				
	1.5	2	2.5	3	4
15	11.85	12.70	11.76	11.76	11.76
20	12.00	11.61	12.76	12.76	12.76
30	12.20	11.84	12.13	13.04	13.04
50	12.06	11.83	11.85	12.74	12.74
100	12.21	12.25	12.03	11.67	12.62
114	12.30	12.33	11.77	11.93	12.42
200	12.20	12.13	12.20	11.82	11.82

表 7-8　升降法对置信上限 I_{AFC} 估计与 d、N 的关系

正态分布 N	步长比 d/σ				
	0.125	0.25	0.5	0.75	1
15	11.34	12.11	12.95	13.59	13.63
20	11.70	12.11	12.67	13.19	13.50
30	12.59	12.56	12.41	12.85	13.22
50	12.25	12.53	12.92	13.00	13.14
100	12.79	12.60	12.86	12.73	12.73
114	13.27	13.10	12.82	12.68	12.54
200	12.54	13.02	12.63	12.67	12.67

正态分布 N	步长比 d/σ				
	1.5	2	2.5	3	4
15	15.00	16.21	17.38	17.38	17.38
20	13.65	15.57	14.41	14.41	14.41
30	13.72	15.39	16.27	15.28	15.28
50	13.14	14.01	15.30	14.95	14.95
100	12.81	13.10	14.21	15.58	15.97
114	12.83	12.97	14.41	15.70	17.25
200	12.59	12.76	13.32	15.17	15.17

7.3.3.1　均值估计精度的分析

表 7-3 数据表明，升降法对 μ 估计是无偏的，d、N 变量对 $\hat{\mu}$ 的无偏性无影响。这是因为其升降规则使试验刺激量集中于 μ 两侧的概率各为 50%，即响应结果为 1、0 的个数相等。因此，当样本量增大或试验组数增多时，估值 $\hat{\mu}$ 趋于真值。

表 7-4 中，$[\mathrm{MSE}(\hat{\mu})]^{1/2} = [(1/k)\sum_{i=1}^{k}(\hat{\mu}-\mu)^2]^{1/2}$，$k$ 是样本组数。分析 $[\mathrm{MSE}(\hat{\mu})]^{1/2}$ 可得 $[\mathrm{MSE}(\hat{\mu})]^{1/2}$ 与变量 d 无确定的关系，$\hat{\mu}$ 没有明显的好步长选择界限，也说明 $\hat{\mu}$ 对步长选择不敏感。样本量从 15 增加到 200，各步长下的 $[\mathrm{MSE}(\hat{\mu})]^{1/2}$ 的减小并不明显。

7.3.3.2　标准偏差估计精度的分析

分析表 7-5 可得如下几点规律：

(1)升降法对 σ 估计是有偏的，一般情况下 $\hat{\sigma}$ 平均值小于真值，d 和 N 对于 $\hat{\sigma}$ 估计量的无偏性均有影响。各样本量取得较好 $\hat{\sigma}$ 的步长范围如表 7-5 中用黑线框出的数据，$\hat{\sigma}$ 的平均值与真值偏差小于 0.1σ。

(2)对于小样本 $(N \leqslant 3)$，在各步长下 $\hat{\sigma}$ 都是显著偏小，当 $d \leqslant 0.5\sigma$ 时，$\hat{\sigma}$ 的平均值比真值偏小 30% 以上，d 过大或过小，都将出现 $\hat{\sigma}$ 的偏差增大的情况。$N = 30$ 时，$\hat{\sigma}$ 好的步长条件是 $d = \sigma$，$\hat{\sigma}$ 的平均值比真值偏小约 0.1σ。

(3)对于中样本 $(N = 50)$，$\hat{\sigma}$ 好的步长条件是 $d = 0.75\sigma \sim 1.5\,\sigma$，$\hat{\sigma}$ 的平均值比真值偏小 7.7%；当 $d \leqslant 0.5\sigma$ 时，随 d 减小，$\hat{\sigma}$ 的偏差显著增大。

(4)对于大样本 $(N \geqslant 100)$，$\hat{\sigma}$ 的平均值比真值仍然偏小，表明升降法对 $\hat{\sigma}$ 的大样本性质是有偏的且是偏小的。当 $N = 100$ 时，$\hat{\sigma}$ 好的步长条件为 $d = 0.5\sigma \sim 2\sigma$，$\hat{\sigma}$ 的平均值比真值平均偏小 7.2%；当 $N \geqslant 114$ 时，$\hat{\sigma}$ 好的步长条件为 $d = 0.25\sigma \sim 2\sigma$，$\hat{\sigma}$ 的平均值比真值偏小 6%。

（5）各样本量的$\hat{\sigma}$好的步长取值中心均是$d=\sigma$。

表 7-6 中，$[\mathrm{MSE}(\hat{\sigma})]^{1/2}$ 较小的范围已用黑线框划出，在$\hat{\sigma}$接近真值的情况下，$[\mathrm{MSE}(\hat{\sigma})]^{1/2}$ 值既反映了$\hat{\sigma}$估计量的偏差，同时也反映了它的散布，分析$[\mathrm{MSE}(\hat{\sigma})]^{1/2}$ 值可以得出如下结论。

（1）当$d \leqslant 2\sigma$ 时，各步长下的$[\mathrm{MSE}(\hat{\sigma})]^{1/2}$ 值均随N增大而减小。

（2）$[\mathrm{MSE}(\hat{\sigma})]^{1/2}$小的步长条件是：当$N \leqslant 50$ 时，有$d=0.75\sigma \sim 1.5\sigma$；当$N \geqslant 100$ 时，有$d=0.5\sigma \sim 2\sigma$。

（3）$[\mathrm{MSE}(\hat{\sigma})]^{1/2}$小的步长取值中心是$d=\sigma$。

以上分析表明，d 和N 变化对$\hat{\sigma}$的偏差均有显著影响，$\hat{\sigma}$估值精度好的条件是：当$N \leqslant 50$ 时，步长为$d=0.75\sigma \sim 1.5\sigma$；当$N \geqslant 100$ 时，步长为$d=0.5\sigma \sim 2\sigma$。各样本量下$\hat{\sigma}$好的步长取值中心均是$d=\sigma$，这从试验方面证明了 Dixon 和 Wood 推荐的步长选择取$d=\sigma$ 是正确的。

7.3.3.3 临界刺激量上下限估计精度的分析

表 7-7、表 7-8 分别是在不同d、N 下，对临界刺激量上限$\hat{x}_{0.99}$估计及$\hat{x}_{0.99}$ 的置信上限估计I_{AFC} 的结果。总体分布的 99%分位点是 12.33。

由表 7-7 可见，$\hat{x}_{0.99}$ 值普遍偏小，由估计量公式$\hat{x}_{0.99} = \hat{\mu} + \mu_{0.99}\hat{\sigma}$ 可知，$\hat{x}_{0.99}$ 的偏差由$\hat{\mu}$ 和$\hat{\sigma}$ 两估计量的误差造成，且$\hat{\sigma}$ 项的误差占主导作用，而$\hat{\sigma}$ 又是偏小的，所以出现对临界刺激量上限估计不足。

分析表 7-7，在置信度$C=0.90$时，除$N \leqslant 20$、$d \leqslant 0.25\sigma$时出现对$\hat{x}_{0.99}$ 置信上限估计不足的个别情况以外，其余各样本量在各步长时的I_{AFC} 几乎均可包含总体99%分位点。但是在$d \geqslant 2\sigma$时，比I_{AFC} 真值又偏大$2\sigma \sim 3\sigma$，估计值的散布也大，是不好步长选择范围，见表 7-8 中黑线框内的数据。从以上分析可以得出，置信上限估计的好条件是 $d = 0.5\sigma \sim 1.5\sigma$, $N \geqslant 30$。因所选分布模型为正态分布，所以对下限估计结果可以从上限估计中类比得出，不再赘述。

7.3.4 最有利试验条件下参数估计精度的讨论

表 7-9 给出了升降法在最有利步长条件 $(d = \sigma)$ 下，不同样本量时对 μ 和 σ 估计的置信区间，取置信度为 0.90。N 从 15 增加到 200，$\hat{\mu}$ 的散布由最大相对误差

$$\{[(10.62 - 9.38)/2]/10\} \times 100\% = 6.2\%$$

减小到

$$\{[(10.33 - 9.67)/2]/10\} \times 100\% = 3.3\%$$

$\hat{\sigma}$ 的最大相对误差从

$$\{[(1.44 - 0.384)/2]/1\} \times 100\% = 53\%$$

减小到

$$\{[(1.253 - 0.655)/2]/1\} \times 100\% = 30\%$$

由此可见，增大 N 对提高精度的作用不大，而对提高 $\hat{\mu}$ 精度的作用显著，升降法不适合作 $N \leqslant 30$ 的 $\hat{\sigma}$ 估计。

表 7-9 升降法在最有利条件 $(d = \sigma)$ 下的 μ 和 σ 估计的置信区间

样本量 N	μ 估计			σ 估计			试验样本组数
	$[\mathrm{MSE}(\hat{\mu})]^{1/2}$	0.90 置信区间	σ 平均值	$[\mathrm{MSE}(\hat{\sigma})]^{1/2}$	0.90 置信区间		
15	0.267	[9.56,10.44]	0.742	0.458	[0.005,1.479]		50
20	0.378	[9.38,10.62]	0.787	0.455	[0.039,1.535]		50
30	0.315	[9.48,10.52]	0.912	0.321	[0.384,1.440]		50
50	0.261	[9.57,10.43]	0.959	0.255	[0.540,1.378]		50
100	0.241	[9.60,10.40]	0.925	0.200	[0.596,1.254]		50
114	0.261	[9.57,10.43]	0.942	0.212	[0.592,1.290]		50
200	0.202	[9.67,10.33]	0.954	0.182	[0.655,1.253]		50

图 7-1(a) 是升降法在最有利步长下的 $[\mathrm{MSE}(\hat{\mu})]^{1/2}$ 与 N 的关

系。由图可见，增加 N 则 $\hat{\mu}$ 的偏差总趋势是减小，在 $N \geqslant 50$ 以后，$\hat{\mu}$ 的偏差趋于稳定。

图 7-1(b) 是在最有利步长下的 $[\mathrm{MSE}(\hat{\sigma})]^{1/2}$ 与 N 的关系。由图可见，增加 N 则 $\hat{\sigma}$ 的偏差是偏小的，在 $N = 20 \sim 100$ 范围减小最显著；在 $N > 100$ 以后，减小不明显。

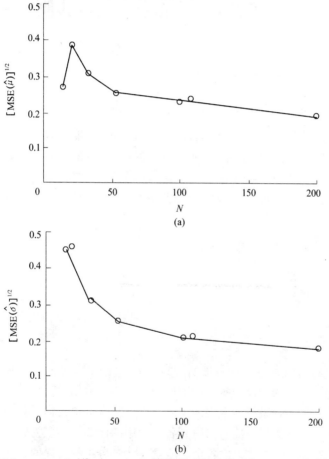

图 7-1 $[\mathrm{MSE}(\hat{\mu})]^{1/2}$、$[\mathrm{MSE}(\hat{\sigma})]^{1/2}$ 与样本量的关系（$d = \sigma$，50 组样本）

以上分析表明，$\hat{\sigma}$ 的偏差不仅与 d、N 有关，还与升降法试验程序本身有关。升降法对 $\hat{\sigma}$ 估计一般是偏小，且在不同 d、N 值范围其偏小的程度也不一致。因此，对 σ 的修正要同时考虑以上影响因素。

7.4　感度变量的威布尔分布及其他分布

本节将从感度分布直方图、感度分布曲线模拟实例等入手，引出感度变量的威布尔分布等。

7.4.1　感度分布直方图

统计分布直方图是用样本求总体的分布密度函数近似图形的图解法，直方图一般有两种，一种是频率直方图，另一种是频数直方图。其画法通常有以下几步：①将样本分组；②计算样本值落入各区间的频率(频数)；③以随机变量为横轴、频率(频数)为纵轴画直方图。

感度分布直方图能反映产品临界刺激量的统计规律，一般假设感度试验数据的形式为

$$\begin{vmatrix} y_1 & y_2 & \cdots & y_k \\ N_1 & N_2 & \cdots & N_k \\ x_1 & x_2 & \cdots & x_k \end{vmatrix}$$

其中 y_i 为刺激量，且满足 $y_1 < y_2 < \cdots < y_k$，N_i 为刺激量 y_i 下的试验量，x_i 为该试验量下的响应数。从感度数据只能得到某些产品单元临界刺激量的上限或下限，而不能直接得到临界刺激量，因此从感度数据不能直接得到各分组中的样本频率。为此，特采用自然分组的办法，以各个刺激量 y_i 为各分组的边界值，并采取频率直方图。

设刺激量 y_i 下的响应率为 p_i。则临界刺激量落入区间 [y_i, y_{i+1}] 的概率为（ $p_{i+1} - p_i$ ），用以 [y_i, y_{i+1}] 为底、（ $p_{i+1} - p_i$)/($y_{i+1} - y_i$)为高的矩形近似代替[y_i, y_{i+1}]区间上密度函数相对应的曲边梯形，即构成感度分布直方图。当刺激量较密、各刺激量处的样本量较大时，该直方图可以较好地逼近感度分布的密度函数图形。在具体操作时，将以响应率的估计值 $\hat{p}_i$ 代替其真值 p_i。因此，给定了感度数据后，为画出感度分布直方图，只需求出各刺激量下的响应率即可。由于在实际试验中可能出现误差以及由于频率的不稳定可能带来偏差，因而在某些情形下会出现 $\hat{p}_{i+1} \leqslant \hat{p}_i$ 的情况。此时保守地认为 y_{i+1} 点处的试验结果不准确，在感度分布直方图的处理中将放弃 y_{i+1} 分点及其相应的估计值 p_{i+1}，而直接处理 y_{i+2} 和 p_{i+2}。

7.4.2 感度分布曲线模拟的实例

在同一刺激量下，如果只有一组大样本试验数据，就可以用响应数除以试验数得到该刺激量下产品的响应率的估计，而实际工作者往往积累了大量的感度数据，而且一般积累的是多组同型不同批产品的试验数据，文献[117]讨论了应用这些数据模拟各批产品感度分布的问题，由于各批产品在同一刺激量下的响应率有极大的相似性，因此在估计各批产品的响应率时，要考虑到它们之间的关联程度。文献[117]采用贝叶斯方法，在各批产品响应率的试验分布中以参数 K 反映其关联程度，然后给出了应用同型不同批产品的感度数据，来估计各批产品在相应刺激量下的响应率。

设在刺激量 y 处有 m 批火工品的感度试验数据（ N_1, x_1 ），…，（ N_m, x_m ），各批火工品响应率之间的关联程度为 K（K 值的确定见文献[117]），则第 i 批火工品响应率 p_i 的精确估计 $\hat{p}_i$、近似估计 $\tilde{p}_i$、经验估计 $\hat{p}_a$ 分别为

$$\hat{p}_i = \frac{N_i}{N_i + K} \cdot \frac{x_i}{N_i} + \frac{K}{N_i + K} E(\eta, x)$$

$$\tilde{p}_i = \frac{\lambda_i}{\lambda_i + 1} \overline{p}_i + \frac{\mu}{\lambda_i + 1}$$

$$\hat{p}_a = \sum_{i=1}^{m} x_i / \sum_{i=1}^{m} N_i$$

式中 $\lambda_i = \dfrac{N_i}{K}$;

$\overline{p}_i = \dfrac{x_i}{N_i}$;

$$\mu = \hat{p}_a + \left\{ \sum_{i=1}^{m} [\lg \frac{\lambda_i \overline{p}_i + \hat{p}_a}{\hat{p}_a} - \lg \frac{\lambda_i(1 - \overline{p}_i) + (1 - \hat{p}_a)}{1 - \hat{p}_a}] \right\} \sigma^2 K \; ;$$

$$\sigma^2 = \left\{ \sum_{i=1}^{m} K[\hat{p}_a^{-1}(1 - \hat{p}_a)^{-1}] - (\lambda_i \overline{p}_i + \hat{p}_a)^{-1} \right.$$

$$\left. - \lambda_i(1 - \overline{p}_i) + (1 - \hat{p}_a)^{-1}] \right\}^{-1} \; 。$$

现应用上述公式和一些真实火工品的感度数据，分别考虑以近似估计和精确估计，拟合各批火工品响应的感度分布曲线。下面各直方图的横坐标为刺激量 y_i ，第 i 个矩形的纵坐标为 $d = (p_{i+1} - p_i)/(y_{i+1} - y_i)$

7.4.2.1 D-6 乙底火感度试验数据

D-6 乙底火感度试验数据(取自同一批产品)如表 7-10 所示。

该产品各个刺激量 y_i 下的响应率为 $p_i = x_i / N_i$ ，其感度分布直方图如图 7-2 所示。

表 7-10　D-6 乙底火感度试验数据

y_i	N_i	x_i	y_i	N_i	x_i
0.75	1 150	0	2.75	400	386
0.85	1 600	4	3.00	400	387
1.00	1 000	3	3.25	400	390
1.25	600	29	3.50	600	595
1.50	500	78	3.75	600	596
1.75	400	170	4.00	1 000	997
2.00	600	350	4.25	1 200	1 199
2.25	300	214	4.50	200	200
2.50	300	270			

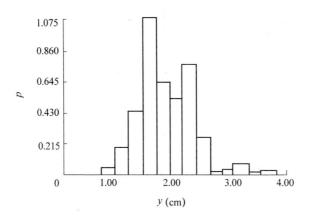

图 7-2　D-6 乙底火感度分布直方图

从图 7-2 上看，该产品的感度分布并不对称。峰值在刺激量
1.50~1.75 cm 处达到，也就是说该产品的临界刺激量在 1.50~
1.75 cm 之间的概率最大。

7.4.2.2　5 号针刺火帽感度数据

5 号针刺火帽感度试验(取自同一批产品)数据统计结果见表

7-11。其相应的感度分布直方图见图 7-3。这个感度分布的峰值也偏向刺激量较小的一端。

表 7-11　5 号针刺火帽感度试验(取自同一批产品)数据统计

y_i	0.5	1.0	1.5	2.0	2.5	3.0	3.5	4.0	4.5
N_i	2 100	2 100	2 100	2 100	2 100	2 100	2 100	2 100	2 100
x_i	0	208	1 105	1 804	1 998	2 064	2 095	2 100	2 100

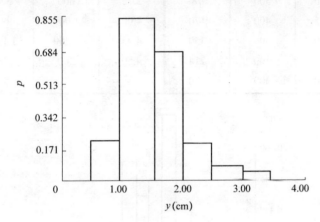

图 7-3　5 号针刺火帽感度分布直方图

7.4.2.3　305 甲步进法原始记录

305 甲步进法原始记录见表 7-12。

表 7-12　305 甲步进法原始记录数据

y_i	0.5		1.0		1.5		2.0		2.5	
N_i	200	200	100	100	100	100	100	100	100	100
x_i	0	0	46	47	81	72	94	85	92	93
y_i	3.0		3.5		4.0		4.5		5.0	
N_i	100	100	100	100	100	100	100	100	200	200
x_i	0	0	46	47	81	72	94	85	92	93

这个原始记录包含了两批同型产品的感度试验记录，可应用

文献[117]的方法分别求出各批产品的响应率，并画出它们的感度分布直方图，由于用精确估计和近似估计所得曲线的分布趋势是一致的。因此，下面只给出用精确估计得出的感度分布直方图如图 7-4 和图 7-5 所示。

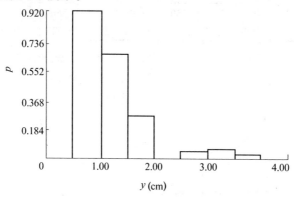

图 7-4　第一批 305 甲产品感度分布图

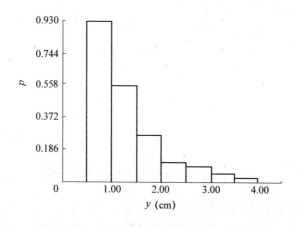

图 7-5　第二批 305 甲产品感度分布图

从图 7-3 和图 7-4 看出，这两条曲线的分布趋势很相似，其峰值均在刺激量最小处。若将所收集的 305 甲各批产品的数据混合，可得混合试验数据，如表 7-13 所示。

表 7-13　多批 305 甲混合步进法数据

y_i	0.5	1.0	1.5	2.0	2.5	3.0	3.5	4.0	4.5
N_i	8 900	400	350	350	350	350	350	350	350
x_i	0	208	1 105	1 804	1 998	2 064	2 095	2 100	2 100

由上面的感度数据可得混合批 305 甲产品感度分布直方图，如图 7-6 所示。事实上，对这些不同批检验合格的 305 甲产品，其中各批产品的感度分布曲线与混批产品的感度分布曲线形状是相似的，它们应属同一种分布类型。而各批产品的感度分布是否完全一致，需进一步经过同分布检验来验证。

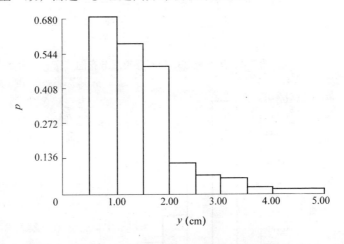

图 7-6　多批 305 甲产品感度分布直方图

通过对以上几个产品感度分布直方图的研究可以看出，感度分布曲线并非正态，甚至也不是对称分布，而是呈现一种偏态分布。由此在感度试验中，假设感度分布为正态分布或其他对称分布，将会给以后的参数估计与可靠性评估带来偏差。

7.4.3 感度分布假设对上下限的影响

以 D-6 乙产品和 305 甲产品为例研究感度分布假设对上下限的影响。所假设的感度分布类型分别为威布尔分布、对数正态及正态分布，其中三参数威布尔分布的密度函数为

$$
\begin{cases}
f(y) = \dfrac{m}{s}(y-r)^{m-1} e^{\frac{(y-r)^m}{s}} & (y \geqslant r) \\[2mm]
f(y) = 0 & (y < r)
\end{cases}
$$

三参数对数正态分布的密度函数为

$$
\begin{cases}
f(y) = \dfrac{e^{-\frac{[\ln(y-r)-\mu]^2}{2\sigma^2}}}{\sqrt{2\pi}\,\sigma(y-r)} & (y > r) \\[2mm]
f(y) = 0 & (y \leqslant r)
\end{cases}
$$

7.4.3.1　D-6 乙产品的感度分布

由表 7-10 可以看出，D-6 乙产品的试验量相当大，可以将各刺激量下的响应率的估计作为其响应率的真值。经计算可知 D-6 乙产品的发火上限(发火率 0.996 1)为 4.250 0 cm，发火下限(发火率 0.002 5)为 0.850 0 cm。

(1)假设其感度分布为威布尔分布,利用概率纸法在威布尔纸上描点，然后用直线拟合，并利用直线的斜率与截距可得威布尔分布的 3 个参数估计分别为

$$m = 2.161\ 7, \quad s = 1.739, \quad r = 0.75$$

对估计出的威布尔分布进行研究可得该产品发火上限(发火率 0.996 1)为 3.603 4 cm，发火下限(发火率 0.002 5)为 0.830 9 cm。

(2)假设其感度分布为对数正态分布,利用概率纸法得到对数正态三参数估计为

$$\mu = -0.336\ 3\ ,\quad \sigma = 0.636\ ,\quad r = 0.75$$

对估计出的对数正态分布进行研究可得该产品发火上限（发火率 0.996 1）为 4.639 8 cm，发火下限（发火率 0.002 5）为 0.869 5 cm。

(3) 假设感度分布为正态时，其参数估计为

$$\mu = 2.013\ ,\quad \sigma = 0.574$$

相应的发火上、下限分别为 3.540 1 cm、0.401 6 cm。

对这 3 种结果比较可得，D-6 乙产品正态分布假设最不可取，对数正态分布假设求得发火上、下限最接近真值。这与文献[81] 中的结论是一致的。

7.4.3.2　305 甲混批产品的感度分布

由表 7-11 可以看出，305 甲混批产品在刺激量 0.500 0 和 5.000 0 下的试验量都相当大，因此可将相应刺激量下的响应率的估计作为该刺激量下响应率的真值。经计算可得该产品发火上限（发火率 0.999 665）的真值为 5.000 0 cm，发火下限（发火率 0.000 225）的真值为 0.500 0 cm。

(1) 假设其感度分布为威布尔分布，利用概率纸法可得威布尔分布三参数估计为

$$m = 1.36\ ,\quad s = 1.09\ ,\quad r = 0.5$$

图 7-7 显示了估计出的威布尔分布与试验值的拟合情况。对估计出的威布尔分布进行研究可得该产品发火上限（发火率 0.999 665）为 5.415 4 cm，发火下限（发火率 0.000 225）为 0.502 2 cm。

(2) 假设 305 甲产品感度分布为对数正态分布，利用对数正态的概率纸可得对数正态中的参数

$$\mu = -0.763\ 5\ ,\quad \sigma = 0.824\ ,\quad r = 0.5$$

图 7-8 显示了估计出的对数正态分布与试验值的拟合情况，可以看出它不如威布尔分布拟合得好。此时产品的发火上限（发火率 0.999 665）为 8.177 5 cm，发火下限（发火率 0.000 225）为 0.525 9 cm。

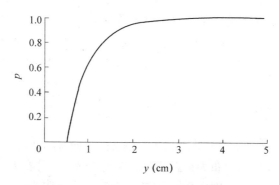

图 7-7　威布尔分布与试验值的比较

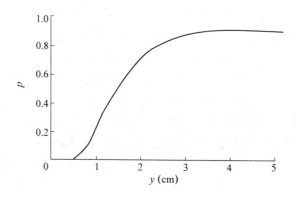

图 7-8　对数正态分布与试验值的比较

(3) 假设 305 甲产品感度分布为正态分布。利用概率纸法可得正态分布中的参数为

$$\mu = 1.56, \quad \sigma = 0.869\ 6$$

此时其发火上限（发火率为 0.999 665）为 4.517 9 cm，发火下限（发火率为 0.000 225）为 1.491 1 cm。

将这 3 种结果进行比较可得，对 305 甲产品正态分布假设所得出的发火下限为负值，这显然不符合实际；威布尔分布假设求得的发火上、下限最接近真值；对数正态分布假设求得的发火上、下限较威布尔分布假设显得偏大，因此所估计的可靠度与安全度太保守。

7.4.4 结论

（1）许多火工品的感度分布是偏态的，而升降法与 Langlie 法一般均假设感度分布为正态分布，由此所得感度分布上、下限的估计值与真值的差别将会较大，有时甚至出现下限为负值的情况，这显然不切合实际。

（2）不同的火工产品由于敏感性不同，其感度分布尾部有较大差别，有的下降很快，有的下降很慢。对 D-6 乙产品而言，由于威布尔分布尾部下降太快，因此不适合假设为该产品的感度分布；但对 305 甲产品而言，其感度分布就更接近于威布尔分布。故不同的产品，其感度分布类型未必相同，应首先考虑其感度分布类型的检验，其次评估其可靠性和安全性。

（3）结合 WJ1903-90 枪弹底火撞击感度试验——步进法和 χ^2 检验，由步进法按照概率纸法估计感度分布的类型时，刺激量的个数应大于等于 8，各刺激量下的试验样品数应大于 50，上、下限刺激量下的试验样品数应大于 100。

第8章 激光点火系统的
安全可靠性分析

安全性和可靠性是点火系统最重要的性能指标之一。激光点火系统主要由点火药、激光器、驱动电源、能量传输系统、保险装置等组成。本章将就安全、可靠性问题分别加以讨论，重点阐述点火药等火工、烟火药剂的安全可靠性及测试、评估方法。

8.1 火工、烟火药剂的燃爆特性

8.1.1 热自燃与自燃点

热自燃泛指[118]可燃物质无外界明火源作用，而是在一定温度条件下，由物质本身的生物化学(细菌发酵作用等)、化学(分解、化合)、物理(辐射吸热)或其他非明火的热作用所产生的热量积累、升温达到一定温度，致使可燃物质发生燃烧的现象。

热自燃又分受热自燃和自热自燃。当可燃物质受外界加热，温度升高达到自燃点而引发的自燃现象称受热自燃，如可燃物质在加热、烘烤、熬炼和热处理中，或者受冲击、摩擦、辐射加热、化学反应热及压缩热的作用下所引起的燃烧都属于受热自燃。受热自燃的特点是从可燃物外表面向内炭化蔓延燃烧。当可燃物质本身因生化、物理、化学反应产生的热量使可燃物温度升高达到自燃点而引起燃烧的现象称自热自燃，如硫化铁、煤、硝化棉、硝化甘油、双基药等的自燃、某些金属遇水自燃等均属于自热自燃。自热自燃大部分是从内向外炭化延燃。

可燃物质在无外界明火作用下，能发生燃烧的最低环境温度称做自燃点。由热自燃理论可知，自燃点的物理意义是系统得热等于失热时的温度。所以它不是物质的固有常数，而是随受热延滞时间的变化而变化，可以把受热延滞时间定义为样品开始自行加热到着火的时间，用τ表示：

$$\lg \tau = \frac{A}{T} + B$$

式中　A、B——与试样性质有关的常数。

从上式可以看出，τ值越大，自燃点 T 值就越小。所以在比较不同物质的自燃点时，一定要在同一点火延滞期下进行。

危险物质的自燃点可用实验方法测得。可燃固体的自燃点一般在粉体条件下测试，固体自燃点的测试方法有试管升温法及克鲁普法。这些方法的测试原理与爆炸物爆发点测试方法类似。

8.1.2　最小点火能量

最小点火能量是指能引起一定浓度可燃物燃烧或爆炸所需要的最低能量值，是衡量可燃物爆炸危险性的重要示性数。可燃物的理化性质对点火能量有重要影响。一般情况下，可燃物燃烧热越大，反应速率越快，熔点越低，热传导系数越小，最小点火能量越低，物质危险性越大。对单质燃料来说，燃料的化学结构与最小点火能量的关系一般有如下规律。

（1）碳氢化合物化学结构与点火能量的关系是：烷烃类大于烯烃类，烯烃类大于炔烃类；碳链长、分枝多的物质，其点火能量增加。

（2）具有共轭效应的物质，点火能量减少。

（3）带有负的置换基，其点火能量按如下顺序递增：SH<OH<N_2H<CN。

（4）一级胺比二、三级胺的点火能量大。

(5)醚与硫醚比，同样碳原子数的直链烷烃点火能量高。

(6)过氧化物的点火能量小。

8.2　热作用与火工、烟火药的安全

8.2.1　概述

火工品与烟火药在实际制造和使用中所受热作用的形式有两种：一种是受热源的整体加热；另一种是通过外界火源加热。当火工与烟火药剂整体加热发生分解反应时，若环境温度较低，热分解进行得比较缓慢，其热分解只消耗微量的反应物，良好的热传递条件使热分解产生的热量全部传递到周围环境，使药剂内部温度和环境温度一样热量不能积累，热分解反应能稳定缓慢地进行下去，不会自行加快；随着环境温度的上升，热分解的能量不能全部从系统中传递出去，使系统得热大于失热，系统出现热量的积累，系统温度上升，放热反应的速率随温度升高呈指数增加，释放更多的热量，温度进一步上升，如此循环，直至热自燃或热爆炸。

通过外界火源(如火焰、火花、灼热桥丝、强光等)而引起的燃烧或爆炸往往在某一局部的物质先吸收能量而形成活化中心(或反应中心)，活化分子具有比普通分子平均动能更多的活化能，所以活动能力非常强，在一般条件下是不稳定的，容易与其他物质分子进行反应而生成新的活化中心，形成一系列连锁反应，使燃烧得以持续进行。由于燃烧速度受外界条件的影响，特别是受环境压力的影响而迅速加快，当传播速度大于物质的音速时，燃烧就转为爆轰。所以，火工与烟火药剂化学变化的三种形式(缓慢化学反应、燃烧和爆轰)在性质上虽存在质的差别，但它们之间却有着紧密的内在联系，缓慢的化学分解在一定条件下可以转变为燃烧，燃烧在一定条件下又可以转变为爆轰。一般来说，对于起爆药及猛炸药，其化学反应速度极快，爆轰成长期短，其表现形式主要是由不稳定爆轰转变为稳定爆轰。对烟火药而言，在一般情况下，其表现形式主要是燃烧，只有在密闭等特定条件下才转化为爆轰。当烟火药剂由缓慢化学变化转为自燃或燃烧时，随着配方的不同，其燃烧速度也不相同，通常为每秒数毫米到每秒数米，最大也只有每秒数百米，远小于药剂的音速。

根据火工与烟火药剂在缓慢反应、燃烧、爆轰过程的反应历程，对不同化学反应阶段采取相应的安全对策，以保证火工与烟火药剂在制造和使用过程中的安全性。

8.2.2　热分解反应历程

药剂热分解是一种重要的化学反应，由于药剂热分解总是导致纯度降低，非爆炸性物质增加，释放热量，严重影响药剂性能，影响药剂长期安定性及安全性。因此，研究药剂热分解是研究药剂贮存安定性的基础。

在一定温度条件下，火工药剂和烟火药剂受热发生分解反应。在温度较低时，热分解反应进行得比较缓慢，并可观察到一些特定现象，如含叠氮基团(N_3^-)或重氮基团(—N=N—)的起爆药，在热分解时可以观察到药粒颜色的变化，一般由浅变深，甚至变暗，可以检测出热分解的气体产物；当分解剧烈时，在电子显微镜下可以观察出晶体表面发生膨胀和裂痕，热分解裂痕在整个晶体内发展，并生成分子碎片等现象。由此证实，晶体药剂的热分解，首先在晶体表面上某些缺陷和位错处展开，随后这些缺陷和位错逐步向晶体的表面和内部发展，促使分子中最不稳定部分的化学键断开，生成分子碎片，同时伴随有分解气体产物。

药剂热分解反应可以由很多因素和条件引起。这些因素中，有些是内在的因素，例如晶体的结构与缺陷、物质的化学反应活性和能量等；另一些是外部因素，如热、光、射线的辐射等。

与气相和液相反应相比较，火工与烟火药剂的热分解是一种复杂的物理化学过程，属非均相的固相分解反应机理，固相的分解反应过程通常包括下列几个基本步骤：

(1)吸着现象，包括吸附和解析。

(2)在界面上或相区内原子进行反应，固态化合物的分解反应最初总是发生在某一局部区域的点。

(3)这些相邻局部点的分解产物聚积成一个个新物相的核，形成反应的核。固相中容易形成初始反应核心的的地方，如晶体中那些存在着缺陷、位错、杂质的地方，晶体的表面、晶粒间界面、晶体棱角处等。例如，当α-PbN_6受热分解时，首先在晶体存在缺陷处或晶体表面上，叠氮根(Nb_3^-)失去电子形成空穴 N_3^*，又称游离基；然后在空穴处形成铅核(Pb)。分解反应就是在铅核和未反应的 $Pb(N_3)_2$ 的界面进行，随着反应的进行，界面反应向晶体内部扩散和迁移，直至分解反应结束。

由热分解的反应历程可知，核的形成速度以及核的成长和扩散速度决定了固相热分解反应的动力学过程。核的形成活化能大于生长活化能，核一旦形成，便能迅速生长和扩展。典型的固相热分解反应的动力学曲线如图 8-1 所示。

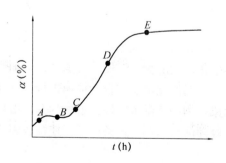

图 8-1　固相热分解反应的动力学曲线

图 8-1 中纵坐标表示某一时刻分解压力与完全分解后总压力比，即分解百分率或转化率$\alpha(t)$；横坐标表示时间t；曲线AB段相当于与分解反应无关的物性吸附气体的解析；BC段为诱导期，是缓慢的气体生成反应；由C点开始是反应加速阶段，反应速度迅速上升到最大值D点，然后反应速度又逐渐减慢，直到E点完成。BE间的S形曲线可以理解为核的生成、核的迅速长大和扩展。因此，热分解反应的速度是取决于核的生成数目及反应界面的面积两个因素。实验测得，糊精PbN_6在200℃热分解$v_c \sim t$曲线如图 8-2 所示。

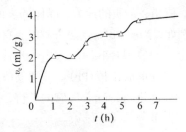

图 8-2 糊精PbN_6在200℃热分解$v_c \sim t$曲线

热分解反应一般包括以下两种反应：

(1)初始分解反应。这种反应的速度是在一定温度下，某种固体药剂热分解的最小速度。它与该固体药剂的化学结构和温度条件有关，与所含杂质或其他条件无关。

(2)自动催化反应。固体药剂在热分解初期所形成的产物中往往有对反应起催化作用的物质，使反应速度逐渐加快，并产生更多的催化物质，从而使化学反应自动加速进行，这就是反应的自动催化加速现象。例如，微量的酸、游离的金属微粒和金属氧化物、微量的水分等都可能在一定条件下，使多数固体药剂起自动催化作用。

药剂的初始分解反应是一级反应或称单分子反应，反应式可

写成:

$$AB \longrightarrow A+B$$

其分解速率随反应物浓度及温度变化而变化。即

$$\frac{\mathrm{d}x}{\mathrm{d}t} = k(a-x)$$

式中　$\mathrm{d}x/\mathrm{d}t$——反应速率;

　　a——原物质的初始量;

　　x——某一瞬间前已反应的物质量;

　　k——反应速率常数。

反应速率随温度的升高而增加,当温度增加 10℃时,反应速率常数的比值 k'_γ / k_γ 称做反应速率的温度系数。对于起爆药的化学反应,平均值为 2~4。这说明温度每升高 10℃,起爆药化学反应速度增加 2~4 倍。

由一级反应速率常数公式:

$$K_1 = A\mathrm{e}^{-\frac{E}{RT_1}}$$

$$K_2 = A\mathrm{e}^{-\frac{E}{RT_2}}$$

则

$$\frac{K_2}{K_1} = \frac{\mathrm{e}^{-\frac{E}{RT_2}}}{\mathrm{e}^{-\frac{E}{RT_1}}}$$

两边取对数,得

$$\ln\frac{K_2}{K_1} = -\frac{E}{RT_2} + \frac{E}{RT_1} = \frac{E}{R}(\frac{T_2 - T_1}{T_2 T_1})$$

由上式可知,若 K_2/K_1 值大时,活化能 E 值也会增大。常见起爆药的热分解活化能 E 的值列于表8-1中。

表 8-1　常见起爆药的活化能 E

起爆药名称	温度范围	$E(\text{kJ} / \text{mol})$
叠氮化铅	—	159
叠氮化银	低于 190℃	184
三硝基间苯二酚铅	100 ~ 115℃ 225 ~ 255℃	135 167
三硝基三叠氮苯	20 ~ 100℃	134

起爆药的自动催化反应是复杂的，由物质自动催化反应基本式子推导可得：

$$\frac{\text{d}x}{\text{d}t} = C^{K'_z t}$$

$$K'_z = C\,\text{e}^{-\frac{E}{RT}}$$

由以上两式可知，自动催化反应速度随时间成指数函数增加，自动催化反应速度与温度的关系也遵循阿累尼乌斯定律。

起爆药及烟火药热分解时具有放热、生成气体产物、失重等特点，因此研究药剂分解过程的主要实验方法是差示热分析法（DTA）、差示扫描量热法（DSC）、热失重分析法（GA）等；测定热分解气体压力和体积的主要方法有布鲁顿（Bourdon）法（或称布氏压力计法）和真空热分解法等。

8.2.3　可燃物的燃烧过程

火工烟火药剂及其原材料中的大多数物质具有可燃性。除起爆药，因其反应速度极快、爆炸成长期极短、无明显的燃烧过程外，其余物质在一定条件下均存在着燃烧过程。

可燃物质的种类很多，各种可燃物质的状态不同、结构不同，燃烧历程也不尽相同。一般情况下物质的燃烧过程如图 8-3 所示。

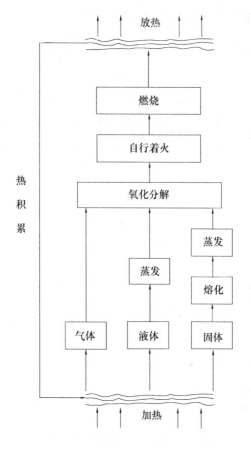

图 8-3　物质的燃烧过程

　　根据可燃物质燃烧时的不同状态，燃烧有气相燃烧和固相燃烧两种情况。气相燃烧是指可燃物的燃烧在气态下进行，燃烧时有火焰产生。固相燃烧是指在燃烧反应过程中，可燃物质为固态，也不能形成气态物质，燃烧在固体表面进行，亦称表面燃烧。如焦炭的燃烧，其特征是燃烧时没有火焰产生，只呈现光和热。也有的可燃物（如某些烟火药剂及天然纤维等）受热时不熔融，而是首先分解出可燃气体进行气相燃烧，最后剩下的碳不能再分解了，则发生固相燃烧，所以在燃烧反应过程中，同时存在气相燃烧和固相燃烧。

氯酸钾与镁粉的混合物的燃烧历程见图 8-4。其反应历程如下：当温度在 370℃时，氯酸钾熔化为液态，镁粉仍为固态，当温度为 400～600℃时，氯酸钾分解放出氧，同时与镁反应。

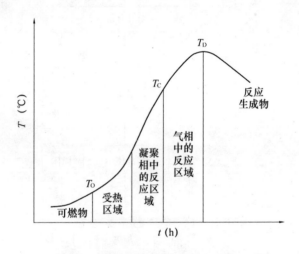

图 8-4　氯酸钾与镁粉的反应历程

即

$$KClO_3（液）\longrightarrow KCl + 3O \qquad （凝聚相）$$

$$Mg（固）+ O（气）\longrightarrow MgO \qquad （在凝聚相与气相的分界面）$$

当温度在 650℃时，因达到镁的熔点，镁熔化并与氧发生反

应。即

$$Mg\,(液)+O\,(气)\longrightarrow MgO \qquad (在凝聚相与气相的分界面)$$

最后在高温区反应，空气中的氧也参与反应。即：

$$Mg\,(固)+O\,(气)\longrightarrow MgO \qquad (气相)$$

从氯酸钾与镁粉的反应历程可知，大多数液态和固态可燃物的燃烧是在凝聚相中开始，在气相中结束。在凝聚相中可燃物的初始反应是靠周围环境所供的热量及气相中反应放出的热量来实现的。所以，反应气体及压力、环境温度对燃烧反应速度影响很大。在反应区域内，其放热量的总和大于散热量的总和时，则燃烧持续进行；反之则燃烧熄灭。所以，研究灭火的方法之一是消耗燃烧区的热量，降低燃烧区的温度，使燃烧熄灭。

8.2.4 热作用下火工与烟火药的爆炸过程

火工与烟火药剂在热作用下发生爆炸的可能性及条件等问题，是热爆炸理论文献[12]所研究的内容。

热爆炸理论是以火炸药系统反应时放热速率与散热速率的平衡为基础的。如放热速率大于散热速率，热爆炸发生，放热速率比散热速率大得越多，爆炸越易发生。所以，对于足够量的火工与烟火药剂而言，热爆炸的必要条件是系统得热大于失热。这时药剂受热升温，反应加速，释放更多的热量，促使药剂进一步升温，如此循环直至爆炸。关于热爆炸的详细论述可以参阅有关专著。

8.2.5 热安全性试验

火工、烟火药在热作用下的安全性，一般用热感度表示。所谓热感度是指火工、烟火药在热作用下爆炸(或燃烧)的难易程度，它包括加热感度和火焰感度。加热感度通常用 5 s 延滞期的爆发点表示。一些常用火工药剂的爆发点见表 8-2。

表 8-2 常用火工药剂的爆发点

药剂名称	爆热 (kJ / kg)	爆发点(5 s 延滞期) (℃)
雷汞	1 730	170
氮化铅	1 522	364
二硝基重氮酚	3 852	172
三硝基间苯二酚铅	1 287	265
四氮烯	2 771	154
黑索金	5 810	260
太安	5 852	225
梯恩梯	4 180	475
黑火药	2 926	422

烟火药的加热感度通常用 5 min 延滞期的发火点来表示，即烟火药自加热起在 5 min 内发火的最低环境温度。烟火药的发火点在立式电炉中进行测定。常用烟火药的发火点见表 8-3。

由热爆炸(或热自燃)机理可知，爆发点(或发火点)不是药剂的物理常数，它不仅与药剂性质有关，也与介质的传热条件有关，随着介质传热系数的不同而不同。若火工与烟火药剂保管，仓库的通风条件不好，就有可能在较低的温度下发生爆炸或燃烧。

火焰感度则是用定量黑火药燃烧的火焰作为热冲能使烟火药发火的最大距离来表示。使烟火药 100%发火的最大距离称为感度上限；它表征烟火药的发火性能；使烟火药 100%不发火的最小距离称为感度下限，它表征烟火药在制造、贮存和使用中的安全性。常用烟火药的火焰感度见表 8-3。

表 8-3　常用烟火药的发火点

序号	成分配比 (%)	火焰感度 (mm)		发火点 (℃)
		上限	下限	
1	硝酸钡(54)；石墨(2)；清油(4)； 2号纯化镁粉(40)	40	140	480
2	硝酸钡(51)；石墨(2)；清油(4)； 2号纯化镁粉(38)；冰晶石(5)	0	100	395
3	硝酸钠(51)；清油(5)； 2号纯化镁粉(44)	30	140	410
4	硝酸钡(23)；四氧化三铁(40)； 铝粉(15)；硝酸钾(6)；镁粉(10)； 树脂(6)	30	80	400
5	硝酸钡(69)；亚麻油(2)；铝粉(14)； 松香(1)；镁粉(14)	20	70	470
6	硝酸锶(41)；镁粉(50)；虫胶(9)	50	160	495
7	硝酸钡(54)；冰晶石(14)；镁粉(19)； 碳酸锶(5)；酚醛树脂(8)	90	150	367
8	硝酸钡(40)；硝酸钠(22)； 镁粉(31)；胶(7)	50	140	375
9	硝酸锶(32)；六氯代苯(11)； 镁粉(32)；树胶脂(8)；过氯酸钾(17)	50	180	333
10	氯酸钾(60)；碳酸锶(26)； 酚醛树脂(4.5)；胶(9.5)	140	410	265
11	硝酸钡(66)；六氯代苯(14)； 镁粉(18)；酚醛树脂(7)	80	180	380
12	过氧化钡(40)；硅铁(5)；镁粉(18)； 硝酸钾(30)；酚醛树脂(7)	150~ 170	390~ 410	290
13	硝酸钾(82)；镁粉(3)；酚醛树脂(15)	160~ 180	380~ 400	380~400

8.2.6　热爆炸的预防和控制

物质的热爆炸一般需具备点火热源、可燃物及氧三个条件。

所有热爆炸的预防措施都是建立在破坏这一"危险三角"的基础上进行的。

自爆是意外爆炸事故发生的重要原因。所谓自爆事故大致可分为两种类型:一种是由于物质本身的结构因应力、应变而造成的自爆,如β-氮化铅及高密度针刺药的自爆。β-氮化铅的自爆可认为是一种处于极强应力与形变状态的结晶,其结构稍受外力扰动、遭受破坏却可自爆。实践证明:当含有氮化铅的母液在静置条件下慢慢冷却时或反应物在低浓度、不搅拌的条件下均有生成β-氮化铅的可能。当针刺药压药压力大于 100 MPa 时,其针刺雷管曾多次发生自爆事故,自爆原因尚在研究之中。另一种类型是起爆药或烟火药剂在贮存过程中因含有不安定物质,自行放热,蓄热自爆。

显然,严格技术标准和工艺流程,控制不安定物质的含量,密切注意起爆药或烟火药剂的贮存环境、通风条件及其自身发热等情况,并及时采取有效措施,是防止意外爆炸事故发生的重要手段。

8.2.7　烟火药的烘干安全

烟火药是激光点火常用的一类药剂,它是多种成分组成的机械混合物。烟火药化学变化的主要形式是燃烧,燃烧过程是氧化—还原过程,通过反应放热与传热,使烟火药温度升高而燃烧。烟火药燃烧的热量与温度决定烟火药的效应。然而,高热高温的烟火药剂对热的敏感度较高,且随药剂初温的升高而增高。药剂初温越高,需外部供给的初始冲能越小,药剂越敏感。因此,烟火药剂烘干时更应注意安全。

烘干时主要安全技术有以下几种。

8.2.7.1　控制烘干温度

不同烟火药烘干温度不相同。含易挥发溶剂(如酒精)的烟火药烘干温度通常为 70~80℃；含清油的烟火药烘干温度以 35~45℃为宜。烘干的药层不宜过厚，防止药剂自燃。

为了控制烘干温度，烘干过程应有自动调温装置，并对仪器进行严格核查、校对。

8.2.7.2 防静电

烟火药在烘干过程中，因分盘、搅动等使药剂有静电产生。例如，装有含硝酸钡、镁粉、清油、石墨的烟火药在烘干时，药盘底部测得静电电压为+40 V，用手搅动药剂测得静电电压为+110~+120 V；烘柜隔板上不放药剂测得静电电压为零，放药剂时测得静电电压可高达+2 000 V。因此，烘干设备应有静电导出装置。

8.2.7.3 防火花

烘干过程中温度较高的烟火药遇火花极易点燃，为此在操作中应注意消除一切产生火花的因素，尽量不采用黑色金属，防止工具、盛器间的强烈冲击、摩擦等。

8.3 机械作用与火工、烟火的安全

机械作用是火工、烟火器件在制造过程中引起燃烧、爆炸事故的主要原因。

对火工、烟火药剂及其器件的机械作用可以分为整体作用与局部作用两类。整体作用表现为，器件受到的惯性力、离心力，在运输中所受的震动等，其特点为器件各部分同时受力。局部作用表现为器件及药剂所受的撞击、摩擦、针刺、挤压、搓撮作用等，其特点为器件部分接触点受力。

8.3.1 器件可能遇到的机械作用

在药剂制造、运输过程中可能遇到并引发事故的机械作用按工艺流程典型工序分析，有以下几方面：

(1)药剂合成。

(2)药剂抽滤。

(3)药剂分盘。

(4)药剂干燥。

(5)药剂筛选。

(6)药剂混合。

(7)药剂造粒。

(8)粉碎药剂原料。

(9)药剂铲起。

在器件制造、运输过程中会遇到机械作用而诱发事故，按工艺流程典型工序分析，有以下几方面：

(1)装填药剂。

(2)药剂压制。

(3)器件滚动。

(4)器件收口。

(5)产品运输。

8.3.2　机械作用导致药剂发火的基本原理

撞击和摩擦是两种最基本的机械作用。摩擦对于药剂的作用机理主要有两种解释：①摩擦化学分解，这通常指高聚合分子在剪应力作用下，被破坏成较小分子质点；②对药剂摩擦引起化学反应，是因为高温热点对药剂作用的结果，即热点理论。在摩擦作用下，灼热核的存在是瞬间的，其存在时间与实验条件有关。

撞击对药剂的机械作用可以通过气体绝热压缩升温导致药剂发火的机理解释。

在绝热压缩下，药柱中的气泡温度会迅速升高，它可以点燃药剂。气泡压缩升温可以由气体绝热压缩状态方程求解，也可由空气绝热压缩前后的温升求得 V_1 及 V_2。

$$\mathrm{d}U = \delta Q - \delta W \tag{8-1}$$

式中　$\mathrm{d}U$ ——体系内能变化量；

　　　δQ ——体系从环境吸收的热量；

　　　δW ——体系对外界所做的功。

当气体处在绝热条件下，存在

$$\mathrm{d}U = -\delta W \tag{8-2}$$

当气体为理想气体时，则有

$$\mathrm{d}U = -p\,\mathrm{d}V \tag{8-3}$$

考虑 1 mol 的理想气体，则有

$$pV = RT \ , \quad p = \frac{RT}{V}$$

$$\mathrm{d}U + p\,\mathrm{d}V = 0 \tag{8-4}$$

$$\mathrm{d}U + \frac{RT}{V}\mathrm{d}V = 0 \ , \ \text{且}\,\mathrm{d}U = C_V\,\mathrm{d}T$$

$$C_V\,\mathrm{d}T + \frac{RT}{V}\mathrm{d}V = 0 \tag{8-5}$$

式(8-5)两边同除以 $C_V T$，得

$$\frac{\mathrm{d}T}{T} + \frac{R}{C_V}\frac{\mathrm{d}V}{V} = 0 \tag{8-6}$$

对理想气体

$$R = C_p - C_V \tag{8-7}$$

式中　C_p——定压摩尔热容；

　　　C_V——定容摩尔热容。

式(8-7)两边同除 C_V，则有

$$\frac{R}{C_V} = \frac{C_p}{C_V} - 1 = r - 1 \ , \quad r = \frac{C_p}{C_V} \tag{8-8}$$

将式(8-8)代入式(8-6)，则有

$$\frac{\mathrm{d}T}{T} + (r-1)\frac{\mathrm{d}V}{V} = 0 \tag{8-9}$$

积分得

$$TV^{r-1} = C \tag{8-10}$$

对空气 $r=1.4$，于是有

$$T_1 V_1^{0.4} = T_2 V_2^{0.4} \tag{8-11}$$

式中　T_1——空气绝热压缩前温度；
　　　V_1——空气绝热压缩前体积；
　　　T_2——空气绝热压缩后温度；
　　　V_2——空气绝热压缩后体积。

设 T_1 为环境温度(20℃)，T_2 为三硝基间苯二酚铅发火点温度(350℃)，则三硝基间苯二酚铅内空气柱压缩前、后的体积 V_1、V_2 间满足如下关系：

$$\frac{T_1}{T_2} = \left(\frac{V_2}{V_1}\right)^{0.4} \tag{8-12}$$

8.3.3　防止机械作用诱发药剂爆炸的安全措施

在火工烟火药剂的制造过程中，防止机械作用诱发药剂爆炸的安全措施主要包括以下几个方面。

8.3.3.1　产品设计中的安全防范措施

首先在机械感度上，产品中药剂不能太敏感，以提高制造及使用产品的安全性。

在器件外壳选型上，应选不与药剂反应的材料进行制造；在几何形状上应尽量选用无尖角、毛刺形状，以避免应力集中，减弱对药剂的机械作用。在材料强度上满足各种震动环境下产品中药剂间不发生相对位移，外壳表面(内外表面)应光洁，以减弱同药剂的摩擦。

在压药工艺条件选择上，压药应力数值应大于使用中所受惯性力的应力数值，以保证药面各断面上不发生药剂与药剂、药剂与外壳间相对位移，即避免发生药剂摩擦。

8.3.3.2　工装设备的选择

火工、烟火器件的制造需通过一定的机械设备完成组装，因此在选择设备时应首先考虑安全。如在选择装药器时，要求其动作的灵活性和运动部位的精确性，以保证药粉不能进入运动部位，且运动部位表面应十分光洁，以减少因摩擦诱发着火的概率。

在选择压药设备时，要首先考虑压药的安全性，如加压速度不能过高且应平稳，尽量减少压药中的撞击与摩擦。

在工装模具设计中，首先要考虑模具与压机运动的协调性，保证压药安全。在模具设计中，要对产品尺寸公差、产品外壳公差、模具尺寸公差及推出产品时的摩擦力等因素进行最佳配置。同时，工装模具同心性也十分重要，因为外壳、模子、压药冲子三同心是实现摩擦力最小的重要条件。

8.3.3.3　工艺方法

在工艺流程布局上，根据产品结构、技术要求、装填方式，按装配层次排列流水作业线，对不同工艺线进行分析比较并选取安全方案。

8.4　电能作用下火工与烟火的安全

8.4.1　火工烟火药在电能作用下的起爆、引燃机理

火工烟火药在电能作用下的起爆、引燃机理可以分为两大类

型：

一类是利用电流通过金属丝等将电能转化为另一种形式的能量后引燃、引爆烟火药或起爆药。其中最常见的是电流通过电阻丝如镍铬丝，使电阻丝升温、灼热起爆、引燃起爆药或烟火药，属热起爆范畴。这一类中还包含用脉冲式的大电流通过金属丝或金属箔等，使之气化产生高温、高压气体或等离子体，迅速膨胀形成强冲击波，以冲击波形式或以高速飞片形式冲击、引爆炸药等，例如爆炸桥丝式火工品及飞片雷管等。

另一类是电能直接对药剂的作用。当药剂置于两极之间时，加电压后，将在两极间建立起强大的电场，因一般炸药等电阻率很高$(1 \times 10^{10} \sim 1 \times 10^{12} \ \Omega \cdot m)$，电流不能顺利通过。当电场强度超过击穿场强时，两极间发生击穿，两极间电阻突然下降，大量电流通过，能量在两极间释放出来。若能量足够，即可引燃、引爆药剂。因此，电击穿是这类起爆的主要原因。

8.4.2　静电的危害及安全防范

当药剂所在空间存在强电场时，极可能发生电击穿。从电能直接对药剂的作用过程可知，静电放电火花将会引起火工、烟火制品及其药剂的引燃、引爆。静电对火工品及烟火器件的危害主要表现在如下三个方面：①静电放电而引起火工、烟火制品及药剂的爆炸事故；②静电放电致使产品发生敏化、钝化及性能变化；③使人员等受到电击。

药剂、工装和人体在生产和操作过程中，会经常与容器器壁或其他介质摩擦并产生静电。由于火、炸药，穿化纤、绝缘胶鞋的人体，胶木，牛皮器具等均为不良导体，当未采取有效措施时，就会使静电荷积累起来，这种积聚的电荷表现出很高的静电电位（最高可达几万伏），一旦存在放电条件，就会产生火花。当放电火花的能量大于药剂及产品的最小发火能量时，就会发生着火及爆炸事故。

若在一定操作条件下，当带电量尚未达到饱和时，单位时间产生的电量为一常数，即

$$\frac{\mathrm{d}Q_1}{\mathrm{d}t} = K = 常数 \qquad (8-13)$$

当 R 为放电电阻时，则瞬间放电电流为

$$I = \frac{\mathrm{d}Q_2}{\mathrm{d}t} = \frac{V}{R} = \frac{V_0}{R}\mathrm{e}^{-\frac{t}{RC}} \qquad (8-14)$$

式中　V——电荷积累电压，V

　　　K——单位时间产生的电量，C/s；

　　　R——放电电阻，Ω；

　　　t——放电时间，s；

　　　C——电容，F。

由式(8-13)减去式(8-14)，则单位时间内所积累的电量为

$$\frac{\mathrm{d}Q}{\mathrm{d}t} = \frac{\mathrm{d}Q_1}{\mathrm{d}t} - \frac{\mathrm{d}Q_2}{\mathrm{d}t} = K - \frac{V}{R}$$

通过整理及积分得电荷积累电压方程为

$$V = KR(1 - \mathrm{e}^{-\frac{t}{RC}}) \qquad (8-15)$$

当条件一定时，设与药剂接触的器具或装置与大地之间的静电电容为 C，电阻为 R，由式(8-15)可知，当 $t \to \infty$ 时带电电压 $V = KR$，即为饱和电压，R 越大，电荷积累电压 V 越大。若器具或装置接地良好，即 $R \to 0$ 时，$V \to 0$，也就是静电积累不起来。利用这一原理，可以避免设备对地之间的火花放电，这是防止静电事故的最简单而又切实可行的方法。

从实用或理论的角度来看，消除静电危害的方法有很多，但从机理上来归纳，大致可以分为以下 3 类：

(1)泄漏法。这一方法的特点是让静电荷比较容易地从带电体

上泄漏消失，避免静电的积累，消除静电的危害。例如接地、增湿、加入抗静电剂、铺设导电橡胶或喷涂导电涂料等都属于这一类。

(2) 中和法。该方法的原理是针对带电体外加一定量的反电荷，使其与带电体上的电荷中和，从而避免静电的积累，消除静电的危害。例如正负相消法、电离空气法、外加直流电场法等都属于这一类。

(3) 从理论上设想一种根本不让静电产生的方法。即设法使两种不同物质的电子逸出功大体相等，从而使接触电势差趋近于零，这样可从根本上防止静电的产生。具体技术措施尚处在研究探讨之中。

8.5 激光器与光纤系统的安全可靠性

激光器的安全可靠性主要表现在激光器的输出功率、波长和波形、稳定性、寿命、对温度等环境的耐受性以及在加速、加载等工作条件下的性能指标，应当满足实际需要；光纤系统的安全可靠性表现在光纤的通光能力、温度及机械特性、光缆的机械性能、光纤耦合质量与效率、光纤的弯曲度控制等。

为了确保系统安全、可靠，在激光器和光纤系统之间和激光器之前，需要加上保险与解除保险装置。保险与解除保险装置通常设计为自动及手动两种并用，以增加保险系数，提高操作速度和效率。保险和解除保险装置的主要功能是控制电路和光路的通与断，显然对保险和解除保险装置本身的可靠性和灵敏度有极高的要求。

图 8-5 是光纤因过分弯曲而导致激光逸出纤芯的示意图。为了避免此种情况发生，光缆需要有足够的机械强度和抗弯曲能力。

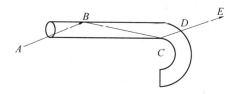

图 8-5 光纤弯曲过度时光线将逸出纤芯

8.6 系统的安全分析与评估

8.6.1 安全系统工程

安全系统工程是以系统工程的方法研究、解决安全问题，预防发生事故、避免造成损失的一门综合性学科。安全系统工程主要包括以下 3 个方面。

8.6.1.1 系统安全分析

系统安全分析在安全系统工程中占有十分重要的地位。系统安全分析的关键是对危险性进行辨识。分析程序是在对已发生事故进行调查与分析的基础上，确立事故的模型，对现有系统进行分析。

8.6.1.2 安全评价

系统安全分析的目的是为了进行安全评价。通过分析，了解系统中的潜在危险、发生事故的概率及可能的严重程度等。不同的分析结果对应于不同的安全评价。定性分析结果只能作定性评价，也就是说能够知道系统中危险性的大致情况。只有通过定量分析作出定量评价，才能充分发挥安全系统工程的作用。

8.6.1.3 安全措施

根据评价的结果，对系统进行调整，消除隐患，修正薄弱环节，提高系统的安全性。

8.6.2　系统安全分析方法概述

系统安全分析是安全系统工程中主要内容之一。所谓系统安全，是指在某一系统中，在功能、时间、成本等规定条件下，使系统发生事故的概率及事故所造成的损失降到最低程度。

一般认为，事故的发生往往不是单一因素造成的，绝大多数是由不安全状态和不安全行为共同引起的。在多种元素构成的复杂系统中，必须在事故预测分析中搞清系统中各元素间的相互关系，找出与事故发生之间的联系，找出发生事故的最主要原因，采取有效的防范措施。为达此目的，就需要在安全分析中采用系统安全分析的方法。

系统安全分析，按照从初级到高级的分析顺序常见的有以下几种方法：安全检查表（Check List）；预先危险性分析（Preliminary Hazards Analysis）；事故危险性分析（Fault Hazards Analysis）；故障类型和影响分析（Failure Modes and Effects Analysis）；致命度分析（Criticality Analysis）；判断树形法（Decision Tree）；管理差错和危险树形法（Management Oversight and Risk Tree）；事故树分析（Fault Tree Analysis）等。按照分析的数理方法可分为定性分析及定量分析；从逻辑的观点出发，可分为归纳分析及演绎分析。

8.6.3　预先危险性分析（PHA）

预先危险性分析（PHA）是一种定性归纳的分析方法，可以定性评价系统内危险因素以什么样的危险状态存在，其目的是为了在系统开发的阶段，判断系统的固有危险，确定可能发生事故的危险等级。

预先危险性分析主要有如下几个步骤：

(1)熟悉系统。对系统进行危险性分析之前，首先要对系统的工艺流程、操作运行条件、周围环境等做充分的调查了解。详细了解同类系统过去发生过的事故信息，分析系统是否会出现类似情况和可能发生的事故。

(2)辨识危险因素。所谓危险因素，就是在一定条件下能够导致事故发生的潜在因素，是造成事故的内因。危险因素包括人、物、环境等因素，一般情况下，它不能单独引起事故的发生，必须在一定条件下，危险因素才能转化为事故。

(3)找出危险因素形成的触发事件。

(4)找出危险因素发展为事故的客观条件(又称事故的触发条件)。

(5)确定危险因素的危险等级，按其形成事故的可能性和损失的严重程度确定危险等级。一般划分为下列4个等级：

Ⅰ级　安全的，尚不能造成事故。

Ⅱ级　临界的，暂时不会造成伤亡和损失，应当予以排除或采取控制措施。

Ⅲ级　危险的，会造成伤亡和损失，要立即采取措施。

Ⅳ级　破坏性的，会造成灾难性事故，必须立即排除。

(6)根据危险等级，决定应采取的安全措施。预先危险性分析常采用列表的方式进行。以黑火药制造过程中三料混合工序为例，黑火药三料粉(硝酸钾、硫磺、木炭)混合在旋转型的牛皮混合筒中进行，筒内还装有一定数量的木球，使物料边混合边粉碎。当三料粉中含有砂石、机械杂质等时，常会因碰撞引燃黑火药，发生爆炸事故；也可能因药粉相互运动，药粉与木球及皮革筒壁摩擦而产生静电积累，一旦静电放电而引燃爆炸；或三料混合时间过长而使温度升高引燃爆炸，其预先危险性分析表见表8-4。

表 8-4　三料混合预先危险性分析

危险因素	触发事件	形成事故的原因事件	事故状况	危险等级	防范措施
三料粉带电	静电积累	静电放电火花	燃爆	IV	接地导静电
药温上升	混合粉碎时间过长	温度升高至爆发点	燃爆	IV	降温增湿
碰撞	药内有硬杂质	撞击能大于发火能	燃爆	IV	防止杂质进入药粉
滚筒旋转不正常	对口器故障	连接螺钉脱落	转速不正常	II	防止对口器螺钉脱落

8.6.4　故障类型和影响分析(FMEA)

故障类型和影响分析是系统安全分析中常用的典型的定性、归纳分析方法。该方法把认为是影响系统安全的所有故障因素按类型加以分析，并研究它们对整个系统的影响。

所谓故障，对可修复的产品来说，指元件、子系统或系统在运行时达不到设计规定的要求；对不可修复的产品来说，产品表失规定的功能，称为失效。所谓故障类型，是指元件、产品故障的表现形式，如雷管发生故障，可能有早炸、迟炸、瞎火三种类型等。并根据故障类型对子系统、系统影响程度的不同而划分为4个等级：

Ⅰ级　致命的，可能造成死亡或系统重大损失。

Ⅱ级　严重的，可能造成重伤或主系统损坏。

Ⅲ级　临界的，可造成轻伤或子系统损坏。

Ⅳ级　可忽略的，不会造成伤害，系统不会损坏。

上述为定性划分故障等级的方法。通过直接判断，基本上是从严重程度来确定故障等级，有一定的局限性。为了更全面地确定故障等级，也可用定量判断的方法，按如下公式计算 C_S 值：

$$C_S = \sqrt[5]{C_1 C_2 C_3 C_4 C_5} \qquad (8\text{-}16)$$

式中　C_S——故障等级值；

　　　C_1——故障影响大小，损失严重程度；

　　　C_2——故障影响范围；

　　　C_3——故障频率；

　　　C_4——防止故障的难易程度；

　　　C_5——是否为新设计的工艺。

$C_1 \sim C_5$ 的取值范围均为 1~10，可采用 BS 法及德尔菲 (Delphi) 法确定。按 C_S 值划分 4 个等级，见表 8-5。

表 8-5　故障等级划分表

故障等级	C_S 值	内容	应采取的措施
Ⅰ致命	7~10	完不成任务，人员伤亡	变更设计
Ⅱ严重	4~7	大部分任务完不成	重新讨论设计，也可变更设计
Ⅲ临界	2~4	一部分任务完不成	不必变更设计
Ⅳ可忽略	<2	无影响	无

该方法分析之前首先要熟悉系统的有关资料，了解系统组成情况，系统、子系统、元件的功能及其相互关系，系统的工作原理、工艺流程及有关参数等；然后根据分析目的决定系统的分析深度。为便于分析，应绘制各子系统及其所包含功能件的功能及其相互关系框图，即功能框图。

根据系统的功能绘制可靠性框图也是必要的。可靠性框图是研究如何保证系统功能的逻辑关系图。同一系统结构由于功能不同，存在不同的可靠性框图。如某一爆炸隔离机构由 3 套保险机构组成，当 3 套保险机构顺序解除保险时隔爆机构才处于待发状态。若从系统安全(保险功能)考虑, 3 套保险机构只要有一套正常工作(锁住), 隔爆机构就是安全的, 其可靠性框图如图 8-6 所示。

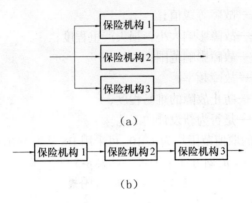

（a）

（b）

图 8-6　可靠性框图

对于特别危险的故障类型如故障等级为 Ⅰ 级故障类型, 有可能导致人员伤亡或系统损坏, 可采用致命度分析。按下式计算致命度指数 C_r, 它表示运行 100 万小时(次)发生的故障次数。

$$C_r = \sum_{j=1}^{n} (\alpha_j \beta K_A K_E \lambda_G t \cdot 10^6) \tag{8-17}$$

式中　j——元件的致命故障类型序数, j=1,2,3,…;

　　　n——元件的致命故障类型个数;

　　　λ_G——元件的故障率;

　　　t——完成一次任务, 元件运行时间;

　　　K_A——运行强度修正系数;

　　　K_E——环境修正系数;

　　　α_j——λ_G 中第 j 个故障类型所占的比率;

　　　β——发生故障时造成致命影响的概率。

8.7 事故树分析(FTA)方法

8.7.1 事故树分析的基本程序

事故树分析的程序按其目的和要求的精度不同而不同，一般可按如下程序进行分析。事故树分析的程序如图 8-7 所示。

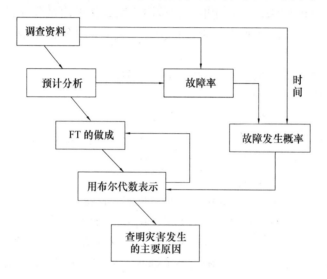

图 8-7 事故树分析程序

8.7.1.1 确定分析系统

即确定系统所包括的内容及其边界范围。事故树分析的对象必须是确定的一类系统。如果系统不明确，必然导致分析不正确。

8.7.1.2 熟悉分析系统

熟悉系统的整个情况，包括系统性能、运行情况、操作步骤及各种重要参数。必要时，需作出系统正常工作时的流程图和工艺布置图。

8.7.1.3 调查系统发生事故的可能性

在收集过去事故实例和事故统计的基础上，尽量估计该系统可能发生的事故。

8.7.1.4 估计事故的危险等级

确定事故树的顶事件。顶事件是指确定所要分析的对象事件。就某一确定系统而言，可能会发生多种事故，一般根据危险性分析（PHA），估计事故的危险等级，按照事故发生的频率和事故损失的严重度，确定易于发生且后果严重的事故作为顶事件。

8.7.1.5 调查与顶事件有关的所有原因事件

这些原因事件包括：设备的元件故障，原材料、半成品、工具等的缺陷，生产管理、指挥、操作上的失误和错误，以及影响顶事件发生的环境因素。可与 FMEA 分析方法结合起来，找出原因事件的故障类型及其影响。

8.7.1.6 绘制事故树图

按照演绎分析的原则，从顶事件起，逐级分析各自的直接原因事件，根据彼此间的逻辑关系，用逻辑门的连接方法，上一层事件是下一层事件的必然结果，下一层事件是上一层事件的充分条件。事故树图绘制正确与否关键在于逻辑门使用是否合理，原因事件是否找齐。

8.7.1.7 事故树定性分析

定性分析是事故树分析的核心内容。其目的是分析各类事故发生规律及特点，找出控制事故的可行方案，并从事故树结构上分析各基本原因事件的重要程度，以便采取相应的安全对策。事故树定性分析的主要内容有：①计算事故树的最小割集或最小径集；②计算各基本事件的结构重要度；③分析各事故类型的危险性，确定防范措施。

8.7.1.8 事故树定量分析

定量分析是事故树分析的最终目的，其内容包括：①确定引起事故发生的各基本原因事件的发生概率；②计算事故树顶事件概率；③计算基本原因事件的概率重要度和临界重要度。

根据定量分析的结果以及事故发生后可能造成的危害，对系统进行风险分析，以确定安全措施。

8.7.1.9 安全评价

根据顶事件可能发生的事故概率及系统严重度确定系统损失率，评价系统的危险性，找出降低顶事件事故概率的最佳方案。

事故树分析的特点是把不希望发生的事故作为顶事件，按系统构成的逆程序逐项展开，其展开程序如图 8-8 所示。这是以某一反应装置的火灾、爆炸事故作为顶事件，将其画在最顶端，然后找出发生该事故的直接原因或缺陷事件，如可能导致爆炸事故发生的流量、温度和压力等参数的变动，这是第一层；再进一步找出造成这些参数变化的原因是泵、阀门及仪表的故障，组成第二层；以此类推，一层层分析下去，直到找到基本的原因事件为止。每层之间按它们的相互关系用规定的逻辑门加以连接，宛如

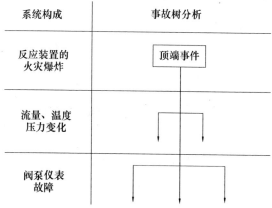

图 8-8　事故树分析的展开形式

一棵倒置的树,由层层分析出的原因所构成的图形如同树的枝叉。

8.7.2 事故树符号及其意义

由事故树分析的特点可知,事故树是由各种事件符号和逻辑门组成的。事件符号是树的节点,逻辑门是表示相关节点之间逻辑连接关系的判别符号,逻辑门的输入连线是树的边。

8.7.2.1 事件符号

常用事件符号见图8-9。

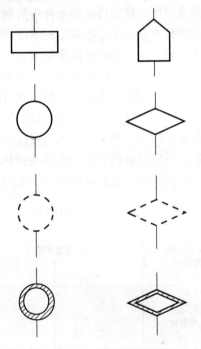

图 8-9 事件符号

1)结果事件

结果事件用矩形符号表示。结果事件是事故树中由其他事件或事件组合所导致的事件，位于某个逻辑门的输出端，包括顶事件和中间事件。

2) 基本事件

基本事件用圆形符号表示。基本事件是系统中的最基本的缺陷事件，不需要进一步展开并且在树中作为一个源点。当使用该符号时，意味着可以得到和估计出这个基本原因事件的故障概率及类型。用实线圆来表示本身故障事件；用虚线圆表示由于人的疏忽和错误引起的基本故障事件；用画有剖面线的双圆来表示没有查出和排除的故障事件。

3) 未探明事件

未探明事件用菱形符号表示。它有两种意义，其一表示省略事件(用虚线菱形表示)，即没有必要详细分析或其原因尚不明确时的事件；其二表示二次事件(用画有剖面线的双菱形表示)，即不是本系统的事故原因事件，而是来自系统之外的原因事件。

4) 开关事件

开关事件用房形符号表示。开关事件是在正常工作条件下必然发生或必然不发生事故的特殊事件。

8.7.2.2 逻辑门符号

逻辑门符号是表示相关节点(事件)逻辑关系的符号。在编制事故树过程中最常用的逻辑门见图 8-10。

1) 与门

与门连接表示下面输入事件 E_1, E_2, E_3, $\cdots$, E_n 同时发生时，输出事件 E 才发生。

2) 或门

或门连接表示输入事件 E_1, E_2, $\cdots$, E_n 中至少有一个事件发生，输出便发生。

3) 优先与门

优先与门又称条件与门，它表示输入事件 E_1, E_2, $\cdots$, E_n 不仅

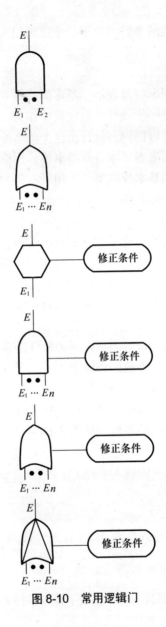

图 8-10　常用逻辑门

同时发生，而且还必须满足条件，才会有输出事件 E 发生。优先与门按其修正条件的内容又可分为顺序优先与门及组合优先与门。顺序优先与门表示优先与门是顺序安排的，输入事件的数量没有限制。即在顺序优先与门中，输出事件 E 发生的条件是：①所有的输入事件 E_n 均发生；②事件 E_i 在事件 E_j 之前发生。组合优先与门则表示在 n 个输入事件中，只要有任意两个事件发生，就有输出事件发生。

图 8-11 给出了组合优先与门的一般形式及其应用实例。

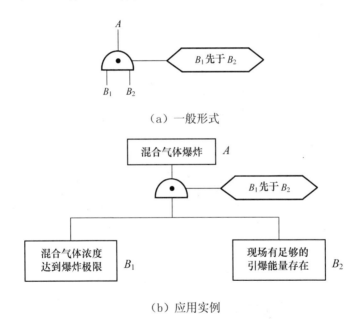

（a）一般形式

（b）应用实例

图 8-11　组合优先与门的一般形式和应用实例

4) 条件或门

详见文献[118]。

5)排斥或门

详见文献[118]。

8.7.2.3 转移符号

转移符号的作用是表示部分树的转入和转出。其主要用在：①当事故树规模较大，在一张纸上不能给出树的全部内容，需要在其他图纸上继续完成时；②整个树中多处包含同样的部分树时，为简化起见，以转入、转出符号标明之。常用的转移符号有 3 种，即转入符号、转出符号、相似转移符号。转移符号如图 8-12 所示。

图 8-12　转移符号

连线引向三角形上方的是转入符号（见图 8-12(a)），表示需要继续完成的部分树由此转入；连线引向三角形侧面时（见图 8-12(c)），表示这部分树由此转出，同时标以相互一致的编码，以示呼应；当转入部分和转出部分内容一致，而数量不同时，可用图 8-12(b)表示相似转移符号。

8.7.2.4 事故树作图

事故树作图的构思是一个严密的逻辑思维过程。以压力容器爆炸事故为例，根据上述介绍的作图过程和符号，可以绘制压力容器爆炸事故的事故树图，见图 8-13。

压力容器的爆炸取决于两个条件，即压力控制装置的故障和安全阀故障。当这两个故障同时存在时，由于压力控制装置发生故障形成超压输入，而安全阀故障则使不能打开泄压造成容器超压而发生爆炸。只要其中任一装置正常工作，爆炸事故就不会发生。压力控制装置故障取决于调节器或调节阀故障，其中任一部件发生故障，均可导致压力控制装置动作失效。

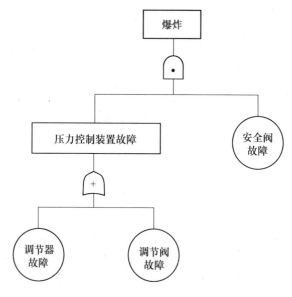

图 8-13　压力容器爆炸事故树分析

图 8-13 中，压力容器爆炸为顶事件，第一层由安全阀和压力控制装置故障组成与门，第二层由调节器故障和调节阀故障组成或门。

8.7.3　事故树定性分析

事故树定性分析，是用数学方法表达基本事件和顶事件相互关系及其基本功能。也就是只引入"1"（发生)或"0"（不发生)的分析方法。

8.7.3.1　结构函数

1)结构函数的定义

设事故树有 n 个互不相同的基本条件，每个基本事件只有发

生和不发生两种状态，且分别用数值 0 和 1 表示。基本事件 I 的状态可记为

$$x_i = \begin{cases} 1 & \text{基本事件}i\text{发生} \\ 0 & \text{基本事件}i\text{不发生} \end{cases} \quad (i=1,2,3,\cdots,n)$$

同样，顶事件的状态用只取两个数值的变量 Φ 表示，即

$$\Phi = \begin{cases} 1 & \text{表示顶事件发生} \\ 0 & \text{表示顶事件不发生} \end{cases}$$

如果顶事件完全取决于基本事件状态变量 $x_i(i=1,2,3,\cdots,n)$，则 Φ 就是 x_i 的函数，即

$$\Phi = \Phi(x)$$

这一 n 维二值变量的二值函数 $\Phi(x)$ 称为结构函数。

顶事件的发生虽然是由构成事故树的基本事件的状态决定的，但并不需要所有的基本事件都发生后才发生，只是在有某些基本事件及其集合发生后才能发生。与顶事件相关的基本事件称做相关基本事件，其结构函数称做相关结构函数。

2)结构函数的性质

事故树系统属于单调关联系统，即系统中任一组成单元的状态由正常(失效)变为失效(正常)，不会使系统的状态由正常(失效)变为失效(正常)。

单调关联系统具有如下 4 个性质：

(1)系统中的每个元部件对系统可靠性都有一定影响。

(2)系统中所有元部件失效，则系统一定失效；反之，所有元部件正常，则系统一定正常。

(3)系统中故障部件的修复不会使系统由正常转为故障；反之，正常部件的故障也不会使系统由故障转为正常。

(4)任何一个单调关联系统的可靠性不会比由相同部件组成

的串联系统的可靠性低，也不会比由相同部件组成的并联系统的可靠性高。

单调关联系统的性质决定了事故树结构函数 $\Phi(x)$ 具有以下性质：

(1)当事故树中基本事件都发生时，顶事件必然发生，当所有基本事件都不发生时，顶事件必然不发生，即

$$\Phi(\vec{0}) \equiv 0 , \quad \Phi(\vec{1}) \equiv 1 \qquad (8\text{-}18)$$

式中 $\Phi(\vec{0}) \equiv \Phi(0,0,0,\cdots,0)$, $\Phi(\vec{1}) \equiv \Phi(1,2,3,\cdots,1)$ 。

(2)当除基本事件 i 以外的其他基本事件固定为某一状态，基本事件 i 由不发生转变为发生时，顶事件可能维持不发生状态，也可能由不发生转变为发生状态。

(3)由任意事故树描述的系统状态，可以用全部事件作成"或门"结构的事故树表示系统的最劣状态(顶事件最易发生)，也可以用全部基本事件作成"与门"结构表示系统的最佳状态(顶事件最难发生)。

(4)由 n 个二值状态变量 x_i 的基本事件 i 构成的事故树，其结构函数 $\Phi(x)$ 对所有的状态变量 $x_i(i=1,2,3,\cdots,n)$ 都可以展开为

$$\Phi(x) = \sum_{p=0}^{2^n-1} \prod_{i=1}^{n} x_i^{y_i} (1-x_i)^{1-y_i} \Phi_p(y) \qquad (8\text{-}19)$$

式中 n——基本事件的数量；

x_i——基本事件 i 的状态变量；

y_i——基本事件 i 的状态值(0 或 1)；

p——基本事件的状态组合编号($p=0,1,2,\cdots,2^n-1$)；

$\Phi_p(y)$——第 p 个事件的状态组合所对应的顶事件的状态值(0 或 1)。

由"与门"结合的事故树的结构函数可表达为

$$\Phi(x) = \prod_{i=1}^{n} x_i \qquad (i = 1, 2, 3, \cdots, n)$$

该式表明，由 n 个独立事件用"与门"结合的事故树，只要 n 个基本事件中有一个不发生(状态为 0)，则顶事件就不会发生(状态为 0)。

由"或门"结合的事故树，其结构函数表达为

$$\Phi(x) = \coprod_{i=1}^{n} x_i \qquad (i = 1, 2, 3, \cdots, n)$$

而

$$\Phi(x) = 1 - \prod_{i=1}^{n} (1 - x_i)$$

该式表明，由 n 个独立事件用"或门"结合的事故树，只要 n 个基本事件中有一个发生(状态为 1)，顶事件就会发生(状态为 1)。

8.7.3.2 最小割集

1) 割集和最小割集

设事故树中有 n 个基本事件 x_1，x_2，x_3，…，x_n，当所有基本事件都发生时，顶事件肯定发生。然而，在大多数情况下，并不要求所有基本事件都发生顶事件才发生，而只要求某些基本事件发生就导致顶事件发生。在事故树中，导致顶事件发生的基本事件的集合成为割集。若 C 是一个割集，而 C 中任意去掉一个基本事件后就不是割集，那么这样的割集就是最小割集。

在图 8-14 所示的某事故树中，顶事件的发生状态完全由 5 个基本事件的状态所决定，应用真值表列出顶事件发生状态与基本事件发生状态之间的关系，见表 8-6。

由表 8-6 可知，导致顶事件发生的基本事件的集合有 17 组，这 17 组集合称做该事故树的割集。在这 17 组割集中，有的包含在其他割集中，如割集 $\{x_3, x_4\}$ 包含在割集 $\{x_3, x_4, x_5\}$ 中，只要事

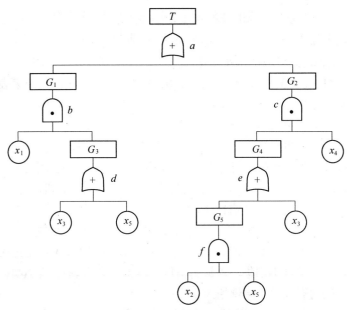

图 8-14　某事故树图

表 8-6　事件状态值与顶事件状态值

x_1	x_2	x_3	x_4	x_5	$\Phi(x)$	x_1	x_2	x_3	x_4	x_5	$\Phi(x)$
0	0	0	0	0	0	1	0	0	0	0	0
0	0	0	0	1	0	1	0	0	0	1	1
0	0	0	1	0	0	1	0	0	1	0	0
0	0	0	1	1	0	1	0	0	1	1	1
0	0	1	0	0	0	1	0	1	0	0	1
0	0	1	0	1	0	1	0	1	0	1	1
0	0	1	1	0	1	1	0	1	1	0	1
0	0	1	1	1	1	1	0	1	1	1	1
0	1	0	0	0	0	1	1	0	0	0	0
0	1	0	0	1	0	1	1	0	0	1	1
0	1	0	1	0	0	1	1	0	1	0	0
0	1	0	1	1	1	1	1	0	1	1	1
0	1	1	0	0	0	1	1	1	0	0	1
0	1	1	0	1	0	1	1	1	0	1	1
0	1	1	1	0	1	1	1	1	1	0	1
0	1	1	1	1	1	1	1	1	1	1	1

件 x_3，x_4 发生，顶事件就发生，因此割集 $\{x_3, x_4\}$ 为最小割集。对比上述 17 种割集，最小割集有 4 组，即 $\{x_1, x_3\}$、$\{x_3, x_4\}$、$\{x_1, x_5\}$、$\{x_2, x_4, x_5\}$，对应的最小割集量为 $(1, 0, 1, 0, 0)$、$(0, 0, 1, 1, 0)$、$(1, 0, 0, 0, 1)$、$(0, 1, 0, 1, 1)$。显然，最小割集表示了系统发生事故的难易程度。

2) 最小割集的求法

简单的事故树，可以直接观察出它的最小割集。但是，对于由大量基本事件和很多门构成的事故树图来说，是不可能用真值表直观地求出最小割集的，必须借助其他算法，并应用计算机进行计算。

常用的基本算法有以下两种：

(1) 布尔代数法。任何一个事故树都可以用布尔函数描述，并进行布尔化简，其最简析取标准式中每个最小项所属变元构成的集合，便是最小割集。若最简析取标准式中含有 m 个最小项，则该事故树有 m 个最小割集。

用布尔代数法计算最小割集，通常分 3 个步骤进行。

首先是建立事故树的布尔表达式。一般从事故树的第一层事件开始，用第二层事件去代替第一层事件，然后再用第三层事件去代替第二层事件，直至顶事件被所有基本事件代替为止。

其次是将布尔表达式化为析取标准式。

最后化析取标准式为最简析取标准式。

对于不很复杂的事故树，在上述替换的基础上，运用布尔代数的运算法则，展开、归并化简，就可求得最小割集。现以图 8-15 事故树为例，求取最小割集。

首先，列出该事故树的布尔表达式：

$$
\begin{aligned}
T &= G_1 G_2 \\
&= (y_1 + G_3)(G_4 + y_4) \\
&= (y_1 + y_3 y_5)(G_5 y_3 + y_4) \\
&= (y_1 + y_3 y_5)[(y_2 + y_5)y_3 + y_4]
\end{aligned}
$$

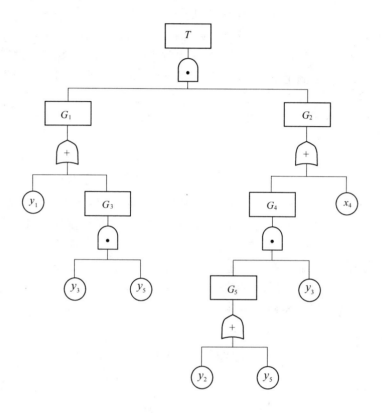

图 8-15 事故树图

化布尔表达式为析取标准式：

$$T = (y_1 + y_3 y_5)[(y_2 + y_5)y_3 + y_4]$$
$$= y_1 y_2 y_3 + y_1 y_3 y_5 + y_1 y_4 + y_2 y_3 y_3 y_5$$
$$+ y_3 y_5 y_5 y_3 + y_3 y_4 y_5$$

消去最小项中的重复变元得：

$$T = y_1 y_2 y_3 + y_1 y_3 y_5 + y_1 y_4 + y_2 y_3 y_5 + y_3 y_5 + y_3 y_4 y_5$$

用布尔化简求最简析取标准式：

$$T = y_1y_2y_3 + y_1y_4 + y_3y_5$$

化简的最普通方法是，当求出割集后，对所有割集逐个进行比较，使之满足最简析取标准式的条件。但当割集数量多、割集中的基本事件个数多时，这种比较方法极费时间，很不实用。在计算机编程时，可采用素数法和分离重复事件法进行化简，不在此赘述。

(2)代换法。代换法又称行列法或富赛尔法。该法比较简便，是以"与门"使割集大小增加，以"或门"使割集数量增加为基础的。仍从顶事件开始，顺序用顶事件下面门的输入事件去代换。代换过程中，凡是用"与门"连接的输入事件按行排列，用"或门"连接的输入事件按列排列，一直到顶事件全部为基本事件所表示为止。最后列写的每一行基本事件集合，经过化简，若集合内元素不重复出现，且各集合没有包含的关系，这些集合便是最小割集。以图 8-15 事故树为例，其解如下：

$$
T \longrightarrow
\begin{matrix} G_1 \\ G_2 \end{matrix}
\longrightarrow
\begin{matrix} x_1G_3 \\ x_4G_4 \end{matrix}
\longrightarrow
\begin{matrix} x_1x_3 \\ x_1x_5 \\ x_4x_3 \\ x_4G_5 \end{matrix}
\longrightarrow
\begin{matrix} x_1x_3 \\ x_1x_5 \\ x_4x_3 \\ x_4x_2x_5 \end{matrix}
$$

8.7.3.3 最小径集

1)径集和最小径集

在事故树中，当所有基本事件都不发生时，顶事件肯定不会发生。然而，顶事件不发生，并不要求所有基本事件都不发生，而只要求某些基本事件不发生时，顶事件就不会发生。导致顶事件不发生的基本事件的集合，称为径集。在同一事故树中，不包含其他径集的径集称为最小径集。由表 8-6 可知，图 8-14 的事故树中有 15 个径集，最小径集有 3 个，即 $\{x_1, x_2, x_3\}$、$\{x_1, x_4\}$、

$\{x_3, x_5\}$，对应的最小径集量为$(0，0，0，1，1)$、$(0，1，1，0，1)$、$(1，1，0，1，0)$。

2) 对偶事故树与最小径集的求法

所谓对偶事故树，就是根据德·摩根法则画出原事故树的对偶树，又称"成功树"，即在原事故树图中，把"与门"换成"或门"、把"或门"变换成"与门"，将所有事件变换成事件补的形式(见图8-16)。

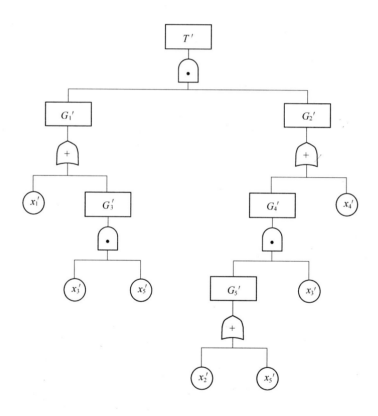

图8-16 将图8-14事故树变换为成功树

根据事故树与成功树的对偶性，成功树顶事件的发生就是其对偶树(事故树)顶事件的不发生。因此，求事故树最小径集的方法是：首先将事故树变为成功树；然后求成功树的最小割集，就是原事故树的最小径集。

8.7.3.4 基本事件的结构重要度

在事故树分析研究各基本事件的影响程度，基本事件对顶事件的发生均产生影响，但所起的作用不同。如果能够找出对顶事件的发生影响较大的基本事件，将更加明确事故发生的主要因素，从而对防止事故发生有着重要而积极的意义。

在分析中，若不考虑各基本事件发生的难易程度，仅从事故树结构上分析，则称为结构重要度分析，并用基本事件的结构重要度系数、基本事件割集重要度系数和近似判断法判定其影响大小。

1)基本事件的结构重要度系数

当事故树某个基本事件 i 的状态由不发生变为发生，即基本状态变量由 0 变为 1 时，除基本事件 I 以外的其余的基本事件的状态均保持不变，则顶事件状态变化可能有 3 种情况：

(1)基本事件 x_i 不发生，顶事件不发生，基本事件 x_i 发生，则顶事件发生。即

$$\Phi(0_i, x_j) = 0 , \qquad \Phi(1_i, x_j) = 1$$

$$\Phi(1_i, x_j) - \Phi(0_i, x_j) = 1$$

式中 x_j——除 x_j 外的其余全部事件。

(2)无论基本事件 x_j 是否发生，顶事件都发生。即

$$\Phi(0_i, x_j) = 1 , \qquad \Phi(1_i, x_j) = 1$$

则 $$\Phi(1_i, x_j) - \Phi(0_i, x_j) = 0$$

(3)无论基本事件是否发生，顶事件都不发生。即

$$\Phi(0_i, x_j) = 0 , \qquad \Phi(1_i, x_j) = 0$$

则 $$\Phi(1_i, x_j) - \Phi(0_i, x_j) = 0$$

在上述 3 种情况中，第一种情况是具有实际意义的重要状态。这一状态说明，当基本事件发生时，直接引起顶事件的发生，这时的状态 $(1_i, x_i)$ 称为基本事件的危险割变量，与此对应的割集 $G_1(1_i, x_j)$ 称为危险割集。

若已知 n 个基本事件的状态组合为 2^n，除基本事件 x_i 以外的其余事件状态组合为 2^{n-1}，则基本事件 x_i 的危险割集的总数为

$$n_{\Phi(i)} = \sum_{p=1}^{2^{n-1}} [\Phi(1_i, x_{ip}) - \Phi(0_i, x_{ip})] \qquad (8\text{-}20)$$

式中　n——事故树中基本事件个数；

x_{ip}——2^{n-1} 个状态组合中第 p 个状态；

0_i——基本事件 x_i 不发生的状态值；

I_i——基本事件 x_i 发生的状态值。

危险割集总数 $n_{\Phi(i)}$ 值越大，说明基本事件 i 对顶事件发生的影响越大。

基本事件 x_i 的危险割集的总数 $n_{\Phi(i)}$ 与 2^{n-1} 个状态组合数的比值称为基本事件 x_i 的结构重要度系数，记为

$$I_{\Phi(i)} = \frac{n_{\Phi(i)}}{2^{n-1}} = \frac{1}{2^{n-1}} \sum_{p=1}^{2^{n-1}} [\Phi(1_i, x_{jp}) - \Phi(0_i, x_{jp})] \qquad (8\text{-}21)$$

图 8-14 的事故树中有 5 个基本事件，必有 $2^5 = 32$ 种状态，如表 8-6 所示。由式(8-21)得

$$I_{\Phi(1)} = \frac{1}{2^{5-1}} \sum_{p=1}^{2^{5-1}} [\Phi(1_1, x_{jp}) - \Phi(0_1, x_{jp})] = \frac{7}{16}$$

同理

$$I_{\Phi(2)} = \frac{1}{16}$$

$$I_{\Phi(3)} = \frac{7}{16}$$

$$I_{\Phi(4)} = I_{\Phi(5)} = \frac{5}{16}$$

从结构重要度系数来看，基本事件 x_1 和 x_3 对顶事件发生的影响最大，基本事件 x_2 对顶事件发生的影响最小。

2) 基本事件的割集重要度系数

如果已知某事故树的最小割集，则可用事故树的最小割集表示其等效事故树，图 8-17 就是图 8-14 事故树的等效树。

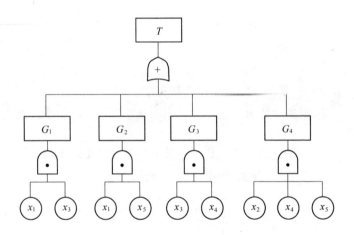

图 8-17　图 8-14 事故树的等效事故树

在最小割集表示的等效事故树中，每一个最小割集对顶事件的发生的影响同样重要，且同一个最小割集中的每个基本事件对该最小割集发生的影响也同样重要，则应用式(8-21)可以近似计算基本事件的结构重要度系数，这时的结构重要度系数又称为基本事件的割集重要度系数，即

$$I_k(i) = \frac{1}{k} \sum_{j=1}^{k} \frac{1}{m_j(i \in k_i)} \tag{8-22}$$

式中　k——事故树最小割集的数量；

　　　$m_j(i \in k_i)$——包含事件 x_i 的最小割集中所含基本事件的个数。

利用式(8-22)不难计算图 8-17 事故树中各基本事件的割集重要度系数。

由图 8-17 可知，有 4 个最小割集：

$$k_1 = \{x_1, x_3\}$$
$$k_2 = \{x_1, x_5\}$$
$$k_3 = \{x_3, x_4\}$$
$$k_4 = \{x_2, x_4, x_5\}$$

最小割集 k_1 和 k_2 中均包含基本事件 x_1，且都含有 2 个基本事件，即 $m_1 = m_2 = 2$，所以基本事件 x_1 的割集重要度系数为

$$I_{k(1)} = \frac{1}{k}\left(\frac{1}{m_1} + \frac{1}{m_2}\right) = \frac{1}{4} \times \left(\frac{1}{2} + \frac{1}{2}\right) = \frac{1}{4}$$

同理

$$I_{k(2)} = \frac{1}{k} \frac{1}{m_4} = \frac{1}{4} \times \frac{1}{3} = \frac{1}{12}$$

$$I_{k(3)} = \frac{1}{k}\left(\frac{1}{m_1} + \frac{1}{m_3}\right) = \frac{1}{4} \times \left(\frac{1}{2} + \frac{1}{2}\right) = \frac{1}{4}$$

$$I_{k(4)} = \frac{1}{k}\left(\frac{1}{m_3} + \frac{1}{m_4}\right) = \frac{1}{4} \times \left(\frac{1}{2} + \frac{1}{3}\right) = \frac{5}{24}$$

$$I_{k(5)} = \frac{1}{k}\left(\frac{1}{m_2} + \frac{1}{m_4}\right) = \frac{1}{4} \times \left(\frac{1}{2} + \frac{1}{3}\right) = \frac{5}{24}$$

根据求出的割集重要度系数及结构重要度系数都同样可判断：在引起顶事件发生的过程中，基本事件 x_1 和 x_3 比基本事件 x_4 和 x_5 重要，而基本事件 x_2 最不重要。

3) 近似判断法

根据以下几条判断准则可以近似判断基本事件的结构重要度：

(1) 单事件最小割(径)集中的基本事件结构重要度最大。

(2) 在同一最小割(径)集中出现的所有基本事件结构重要度相等。

(3) 两基本事件仅出现在基本事件个数相等的若干最小割集(径集)中，这时在不同最小割(径)集中，出现次数相等的基本事件，其结构重要度相等，出现次数多的结构重要度大，出现次数少的结构重要度小。

(4) 两基本事件仅出现在基本事件个数不等的若干最小割集(径集)中，若它在各最小割集(径集)中出现的次数相等，则少事件最小割集(径集)中出现的基本事件的结构重要度大。

8.7.4 元件的故障概率

8.7.4.1 故障发生的分布规律

机械、设备单元(部件或元件)可能由于各种原因而发生故障或失效。对于可修复系统，在单位时间出现的故障称做故障率；对不可修复系统，其单位时间出现的失效称为失效率。

图 8-18 所示是元件失效的典型曲线，因形似浴盆，又名浴盆曲线(bath-rub curve)。从这条曲线可以看出，产品失效过程分为 3 个阶段，即早期失效(early failure)阶段、偶然失效(chance failure)阶段和耗损失效(wear-out failure)阶段。

早期失效阶段，其失效率随着时间的增长而很快下降。这是由于设备内在的设计失误、材料缺陷等原因造成在使用初期出现的失效。这个时期的主要任务是找出不可靠的原因，促使失效率下降，使进入偶然失效期。

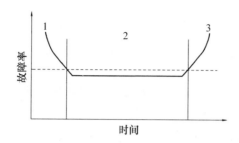

图 8-18　元件失效的典型曲线

偶然失效期的特点是失效率低而稳定，往往可以近似地视为常数，系统安全性分析着重在这一阶段，因为它发生在产品的正常使用阶段，又称使用寿命期。

耗损失效期出现在产品的使用后期，由于长期使用，产品老化，性能下降，造成失效迅速增加，失效率随工作时间增加而上升。

不同的零部件(或产品)有不同的失效(或故障)分布。失效(或概率)分布函数用来描述产品失效(或故障)的统计规律，常用的失效(或故障)分布形式有指数分布、正态分布、对数正态分布及威布尔分布；离散型的有二项分布及泊松分布。

8.7.4.2　可修复系统的单元故障概率

可修复系统的单元故障概率为

$$q = \frac{\lambda}{\lambda + \mu} \tag{8-23}$$

式中　q——单元故障概率，指单元在运行时间 t 时发生故障的概率值；

　　　μ——可维修度；

　　　λ——单元故障率，即单位时间内故障发生的概率。

λ 是时间 t 的函数，一般记为 $\lambda(t)$，即

$$\lambda(t) = \frac{f(t)}{R(t)} = \frac{f(t)}{1 - F(t)} \tag{8-24}$$

式中　$f(t)$——故障概率密度分布函数；

$R(t)$——可靠度函数；

$F(t)$——故障概率分布函数，可根据故障概率分布形式求

得。

λ 也可根据实验求得，即

$$\lambda_0 = \frac{1}{\theta} \tag{8-25}$$

$$\theta = \frac{\sum_{i=1}^{n} t_i}{n} \tag{8-26}$$

式中　λ_0——实验值；

θ——元件平均故障间隔时间，它等于元件起始运行时间

至故障发生时刻所经历时间 t_i 的算术平均值；

n——所测元件的个数。

对于实验求得的 λ_0，在应用时还应考虑比实验条件恶劣的温度、湿度、振动及其他因素的影响，需要附加一个系数 K，实际故障率应为

$$\lambda = K\lambda_0$$

可维修度 μ 等于所需平均修复时间 τ 的倒数，即

$$\mu = \frac{1}{\tau}$$

μ 值的大小反映单元故障维修的难易程度。因为 $\theta \gg \tau$，故 $\lambda \ll \mu$，所以可维修系统的单元故障概率为

$$q = \frac{\lambda}{\lambda + \mu} \approx \frac{\lambda}{\mu} = \lambda\tau \tag{8-27}$$

8.7.4.3 不可修复系统的失效概率

火工及烟火元件往往属于不可修复系统，其单元失效概率为

$$q = 1 - R(t) \qquad (8\text{-}28)$$

式中　$R(t)$——元件的可靠度函数。

若可靠度服从指数分布，则

$$R(t) = e^{-\lambda t} \qquad (8\text{-}29)$$

将式(8-29)代入式(8-28)，得

$$q = 1 - e^{-\lambda t} \qquad (8\text{-}30)$$

式中　t——元件的运行时间。

将式(8-30)中的$e^{-\lambda t}$按无穷级数展开，略去高阶无穷小，可得

$$q \approx \lambda t \qquad (8\text{-}31)$$

8.7.5　事故树的定量分析

事故树的定量分析主要包括顶事件的概率计算、基本事件的概率重要度及临界重要度的计算公式。

8.7.5.1 顶事件发生概率的计算

若已知事故树的相关结构函数及各基本事件的故障概率，就可根据概率事件积与和的计算公式精确或近似计算顶事件发生概率，也可以用最小割集和最小径集法求顶事件的概率值。

1) 最小割(径)集法

若已知事故树的最小割集或最小径集，即可列出该事故数的相关结构函数。

假设给定事故树有 n 个最小割集 K_j(j=1,2,$\cdots$,n)，令下式所定义的二值函数 $K_j(x)$ 对应于各个最小割集：

$$K_j(x) = \prod_{i \in K_j} x_i \qquad (8\text{-}32)$$

式(8-32)表示 K_j 内包含的事件全部以逻辑积的形式结合的结

构，所以称做最小割与结构。由于 K_j 是最小割集，所以只有当 K_j 的基本事件全部发生时，顶事件才发生，并在 n 组最小割集中任一组的基本事件发生时，顶事件也必发生。所以结构函数可写成

$$\Phi(x) = \prod_{j=1}^{n} K_j(x) = \prod_{j=1}^{n} \prod_{i \in K_j} x_i \tag{8-33}$$

假定给出某事故树中有 m 个最小径集 $p_j(1,2,\cdots,m)$，令下式所定义的二值函数 $p_j(x)$ 对应于各个最小径集：

$$p_j(x) = \coprod_{i \in p_j} x_i \tag{8-34}$$

式(8-34)表示包含在 p_j 内的基本事件全部以逻辑和形式结合的结构，称之为最小径或结构。也就是说，至少有一个以上属于 p_j 的基本事件发生时就使二值函数 $p_j(x)=1$，对应于某事故树的顶事件是在 m 个最小径或结构全部等于 1 时才发生。所以给定的顶事件的结构函数可用下式表达：

$$\Phi(x) = \prod_{j=1}^{m} p_j(x) = \prod_{j=1}^{m} \coprod_{i \in p_j} x_i \tag{8-35}$$

2)近似计算法

在系统的基本事件很多，最小割集和最小径集的数量也较多的情况下，采用精确计算方法计算顶事件的发生概率往往较困难。而且在没有数据库的条件下，设备的故障率、人的失误概率均难以得到准确的数值。这样即使采取了精确算法，也会因凭经验取值的不精确性而降低精确算法的意义。因此，在实际计算中采用近似算法。近似算法中以首项近似法最为普遍。

根据式(8-35)及有限个相互独立事件并的概率公式，可知顶事件发生的概率为

$$g = \sum_{j=1}^{n} \prod_{j \in K_j} q_i - \sum_{1 \leq j \leq s \leq n} \prod_{i \in K_j \bigcup K_s} q_i + \cdots + (-1)^{n-1} \prod_{\substack{j=1 \\ i \in K_j}} q_i \qquad (8\text{-}36)$$

式中　j、s——最小割集的序号，$j<s$；

n——最小割集数；

$\displaystyle\sum_{j=1}^{n} \prod_{j \in K_j} q_i$——每个最小割集中的基本事件的概率之积的代

数和；

$\displaystyle\prod_{\substack{j=1 \\ i \in K_j}} q_i$——$n$ 个最小割集中基本事件概率积；

$i \in K_j$——i 事件属于 j 最小割集；

$i \in K_j \bigcup K_s$——i 事件或属于 j 最小割集或属于 s 最小割集。

设

$$\left. \begin{aligned} \sum_{j=1}^{n} \prod_{j \in K_j} q_i &= F_1 \\ \sum_{1 \leq j \leq s \leq n} \prod_{i \in K_j \bigcup K_s} q_i &= F_2 \\ \vdots \\ \prod_{\substack{j=1 \\ i \in K_j}} q_i &= F_K \end{aligned} \right\} \qquad (8\text{-}37)$$

则可得到最小割集求顶事件发生概率的逼近公式，即

$$g(q) \leqslant F_1$$
$$g(q) \leqslant F_1 - F_2$$
$$g(q) \leqslant F_1 - F_2 + F_3$$
$$\vdots$$

$$(8\text{-}38)$$

当以 F_1 近似为 $g(q)$ 时，称做首过项近似法。

8.7.5.2 基本事件的概率重要度和临界重要度

基本事件的概率重要度是指各基本事件发生概率的变化对顶事件发生概率的影响，即顶事件发生概率对基本事件 i 发生概率的变化率。数学形式表示如下

$$I_g(i) = \frac{\partial g(q)}{\partial q(i)} \qquad (8\text{-}39)$$

式中　$I_g(i)$——基本事件的概率重要度；

　　　$g(q)$——顶事件发生的概率函数；

　　　$q(i)$——某基本事件发生的概率。

由式(8-39)可知，只要对自变量 $q(i)$ 求一次偏导，就可以得到该基本事件的概率重要度。

基本事件的概率重要度，只反映了基本事件发生概率变化对顶事件概率变化的影响，并未反映出基本事件发生的概率大小对顶事件发生概率的影响，也就是说，当各基本事件发生概率不等时，如果将各基本事件发生概率都改变 Δq，则对发生概率大的事件进行这样的变化比发生概率小的事件对顶事件的影响大。因此，用基本事件发生概率的变化率($\Delta q_i / q_i$)与顶事件发生概率的变化率($\Delta g / g$)的比值来确定事件 i 的重要程度，更具实际意义。定义

$$CI_g(i) = \frac{\dfrac{\partial g(q)}{g(q)}}{\dfrac{\partial q_i}{q_i}} = \frac{q_i}{g(q)} \cdot \frac{\partial g(q)}{\partial q_i} = \frac{q_i}{g(q)} I_g(i) \qquad (8\text{-}40)$$

$CI_g(i)$ 为临界重要度，又称危险重要度。

当给定基本事件的发生概率后，便可用式(8-40)计算基本事件的临界重要度。

8.7.6 事故树分析在激光点火系统中的应用

火工系统是武器、弹药中的重要子系统，火工品的可靠性及安全性直接影响弹药的战术技术性能。如果不合要求，不但将延误战机，而且还会因火工品的意外爆炸而造成制造、使用过程中的不安全，直接危及操作人员的生命。

火工品是一次使用的成败型产品，且火工安全系统失效概率极低，难以通过试验来验证，因此可以采用事故树方法对火工安全系统失效概率进行定量、定性分析。采用事故树方法的大量计算、分析实例证明，该方法是行之有效的，对于激光点火系统也不例外。

8.8 安全评估

8.8.1 安全评估方法概述

安全评估可分为定性安全评估和定量安全评估。

定性评估不需要精确的数据和计算，实行起来比较容易，也可节省时间。定性评估的方法有多种，常用的有安全检查表式综合评估法及优良可劣评估法。

对于危险性特别高的装置和工艺布置等，需在定性评估的基础上进行定量评估。定量评估的方法目前有两种发展趋势，一种是以可靠性为基础的评估法，如事故树分析等。这种方法需要根据基本事件的故障概率，计算出发生事故的概率，进而计算出系统的损失率及允许的安全值，评估系统是否安全。其评估结果的精确程度较高，但这种方法较繁难。另一种是指数法或评点法，如美国道化学公司的火灾爆炸指数法等。这种方法是将各种危险性计算成点数参加评估，使用起来比较容易，但精度较差。

8.8.2 事故树法安全评估

用事故树进行安全评估是通过计算系统的事故概率及损失率进行评估，并设法降低事故严重程度和减少事故的发生概率，使损失率控制在安全指标之内。

某事故的损失率可定义为损失严重度与事故概率的乘积，用符号 R_T 表示。损失严重度是指发生一次事件所造成的损失值，包括直接损失和间接损失。损失率又称风险率，是衡量危险性的指标。由损失率的定义可知，如果事故后果很严重，必须采取各种安全措施，使系统事故概率很小，使损失率控制在某一指标内。

实际过程的损失率是不会为零的，所谓安全是指损失率足够低的状态。因此，需要建立一种量化的评价指标。对于火工与烟火企业，由于事故的发生常有人员伤亡的损失，故用死亡概率/人年表示，或用接触工作 1 亿小时发生的死亡人数为单位，称为 FAFR，进而对危险度作出评价：①若死亡概率达到 10^{-3}/人年，则视为特别危险，必须采取措施；②若死亡概率低于 10^{-6}/人年，将不必担心事故的发生。

8.8.3 指数法安全评估

指数法又称火灾、爆炸指数法，由道化学公司首次发表并不断进行修改。该方法是以危险单元工艺过程中物质的物理化学性质(物质系数)为基础，将一般工艺危险性、特殊工艺危险性以及物量方面的因素，通过逐步推算的方法，换算成火灾、爆炸指数，求出危险单元潜在的危险性的方法。其评价程序如图 8-19 所示。

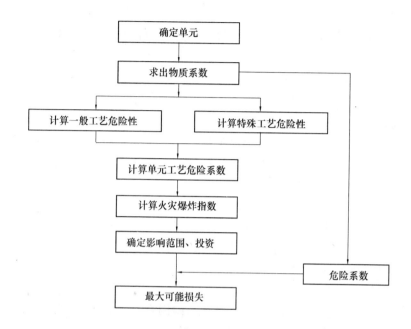

图 8-19　一种危险性评价程序框图

8.8.4　火工系统的安全评估

火工与烟火系统的安全评估也可分为两大类。

一类是以事故树分析法为基础的可靠性安全评估法，它适用于某一限定系统如火工与烟火产品的引燃、引爆系统的事故预测及安全评估。

另一类是吸收国内外先进的评估方法如指数法等，并结合兵工领域的特点，由中国兵器工业总公司生产安全局提出的评估方法——火炸药和弹药企业重大事故隐患的定量评估。建立该方法的原则有以下几条。

1) 科学性

评估的指标体系及数学模型应客观、准确地反映事物的本质以及它们的内在联系。

2) 系统性

危险源的危险性寓于生产、操作活动的各个方面。因此，必须对危险源进行系统的解剖及分析，研究该系统与子系统及子系统与子系统之间的相关和制约关系，以便最大限度地辨识其危险性，并把潜在的危险因素发掘出来，找出它们对系统的影响程度，决定其整体危险性。

3) 可行性

评估方法必须反映对象特点，能够方便现场采集数据，具有可操作性，使定量估算尽可能简化，并在火炸药、弹药评估中有一定的通用性。

4) 可比性

尽可能把各种各样的不可比的危险因素通过量化转化为可比的指标，并能定量比较危险源的危险程度。

激光点火系统或一般火工品、火炸药、弹药等属于易燃、易爆系统，稍有疏忽，均可能引起重大的恶性事故。因此，安全评估具有非常重要的现实意义，其重要性正被人们逐渐认识，评价方法也日臻完善，并向更科学、更系统、更实用的方向发展。随着激光点火系统技术的不断发展和安全、可靠性的不断提高，激光点火技术不仅在军事及航空、航天领域显示出巨大的应用价值，而且还将进一步深入到人类生产、生活、文化娱乐、科学研究等诸多领域，展示出其更加安全、快捷、方便，更加丰富多彩的和平应用前景。

主 要 符 号 表

符　号	含　义	国际单位
α	热扩散系数	m^2/s
α	材料对激光的吸收系数	$1/m$
β	无量纲光强	
χ	对流换热系数	$W/(m^2 \cdot K)$
δ	Frank-Kamenetskii 参数	
δ_{cr}	δ 的临界值	
ε	无量纲活化能	
ε	介电常数	F/m
ε_0	真空中介电常数	F/m
ε_0	光子能量	J
φ	全反射临界角	rad
λ	波长	m
λ	导热系数	$W/(m \cdot K)$
μ	磁导率	H/m
μ_0	真空中磁导率	H/m
ν	光子频率	Hz
θ	无量纲温度	
$\theta_{0,0,t}$	t 时刻温度	K
$\theta_{0,0,t_i}$	t_i 时刻温度	K
$\theta_{0,0,\infty}$	时间 t 足够大时温度	K
ρ	密度	kg/m^3
ρ	无量纲坐标	

符 号	含 义	国际单位
σ_t	球形颗粒最大截面积	m^2
ω	角频率	Hz
ω_i	临界点火能量密度	J/m^2
Σ_n	n 阶吸收截面	$m^{2n} \cdot s^{n-1}$
A	指前因子	1/s
a	光束半径	m
a_0	反应物特征厚度	m
c	真空中光速	m/s
c	比热	$J/(kg \cdot K)$
D	离解能	J
d	光束直径	m
dB_{km}	每千米衰减的 dB 数	
E	电场强度矢量	V/m
E	电场强度	V/m
E_a	活化能	J/mol
E_i	临界点火能量	J
E_m	分子能量	J
E	电子电量	C
f_e	电子受洛仑兹力	N
f_r	表面对激光的反射率	
H	磁场强度矢量	A/m
H	磁场强度	A/m
h	普朗克常数	J s
I	激光强度(激光功率密度)	W/m^2
I_0	入射激光功率密度	W/m^2

符　号	含　义	国际单位
i	虚数单位	
k	波矢	1/m
m_e	电子质量	kg
NA	数值孔径	
n_0	光子流密度	$1/(m^2 \cdot s)$
n_1	光纤纤芯折射率	
n_2	光纤包层折射率	
P	激光功率	W
P_0	初始激光功率	W
P_E	光子动量	$kg \cdot m/s$
p	压强	Pa
Q	反应热	J/kg
R	普适气体常数	$J/(mol \cdot K)$
S	坡印廷矢量	W/m^2
S	光束截面积	m^2
T	温度	K
T_a	环境温度	K
$T_{0,0,\infty}$	时间 t 足够大时温度	K
v	速度	m/s
W_e	电离几率	1/s
W_n	n 光子跃迁几率	1/s

参 考 文 献

[1] T. H. Maiman. Stimulated Optical Radiation in Roby. Nature, 1960, 187(4736): 493~494

[2] Leo de Yong, Tam Nguyen and John Waschl. Laser Ignition of Explosives, Pyrotechnics and Propellants : A Review. AD-A299465, 1995

[3] Nils B.M.Romen. Laser ignition of explosives and its application in a laser diode based ignition system. Proceedings of the sixteenth international pyrotechnic seminar, 1990, 822~836

[4] Xiang Shibiao, Feng Changgen and Hu Ying. Brief review of studies on laser initiation in China. Theory and practice of energetic materials. The Publishing House of Ordenance Industry, 1997, 468~473

[5] 孙承纬. 激光引爆炸药的机理和实验. 见：中国工程物理研究院西南流体物理研究所. 爆轰研究论文集, 1978, Vol.1: 53~65

[6] 孙承纬, 王作妮, 贾保仁, 等. 激光引爆炸药的实验研究. 爆炸与冲击, 1981(1): 84~90

[7] 唐贤忠. 激光引爆炸药的实验装置和测试技术. 见：中国工程物理研究院西南流体物理研究所.爆轰研究论文集, 1978, Vol.1: 66~72

[8] 王作妮. 降低猛炸药激光引爆能量途径. 高能密度物理, 1979, 4(11)

[9] 陈旦鸣. 激光引爆掺杂敏化太安炸药的研究. 兵器激光, 1982 (2): 7~11

[10] 闫大鹏, 苗鹏程, 王海林, 等. 激光引爆起爆药的机理及其爆轰流场的干涉法研究. 爆炸与冲击, 1991, 11 (3):230~237

[11] 冯长根. 稳态强光起爆的数值计算. 兵工学报(火工品分册), 1985(3): 1~9

[12] 冯长根. 热爆炸理论. 北京: 科学出版社, 1988

[13] 冯长根. 热点火理论. 长春: 吉林科学技术出版社, 1991

[14] 张忠珍, 段祝平, 刘小苹, 等. 激光引爆炸药和冲击加载铝板的数值研究. 强激光与粒子束, 1990, 2(3): 359~365

[15] 鲁建存. 起爆药的激光感度. 兵器激光, 1984(4): 60~65

[16] 鲁建存. 起爆药的激光反射率. 激光技术, 1987, 11(2): 51~55

[17] 鲁建存. 激光起爆器. 火工品, 1988(1), 17~20

[18] 孙同举, 沈瑞琪, 叶迎华, 等. 激光点燃烟火药过程中的二次发火现象. 兵工学报(火化工分册), 1996, 18(1): 12~14

[19] 沈瑞琪, 叶迎华, 戴实之. 光声检测叠氮化铅分解的化学反应过程. 应用激光, 1993, 13(6): 264~266

[20] 程国元, 等. 火焰雷管的激光感度和作用时间的测定. 爆破器材, 1982(10): 28~30

[21] 程国元, 康松. 激光引燃点火药(Pb_3O_4–ZrAl)机理研究. 见: 烟火技术学术交流会交流文章, 1986

[22] 程国元, 李爱民, 郑又生. 激光引发低爆速雷管的研究. 见: 中国民用爆破器材学会第三次年会交流文章, 1988

[23] 赵家玉. 激光感度测试方法的研究. 战斗部通讯, 北京工业学院, 1981

[24] 符绿化, 王凯民. 激光点火技术的发展. 兵器工业第二一三研究所, 1994

[25] D. R.Sumpter, McDonnell Douglas Aerospace-East, St.Louis, Missouri. Laser-Initiated Ordnance for Air-to-Air Missiles. AIAA-93-2360, 1993

[26] Tom Blachowski. Advanced Development of the Laser Initiated Transfer Energy Subsystem(LITES). Proceedings of the 18th international pyrotechnic seminar, 1994,107~116

[27] P. P. Ostrowski, J. F. Grant, E. D. Petrow, D. S. Downs. Direct Ignition of Double-Based Gun Propellants with Laser Energy. Proceedings of the 8th International Pyrotechnics Seminar, 1982, 526

[28] Ronalc A.Hill. Ignition-delay Times in Laser Initiated Combustion. Applied optics 1 July 1981, 20(13): 2239~2242

[29] John A. Holy and Thomas C. Girmann. The Effects of Pressure on the Laser Initiation of $TiH_x/KClO_4$ and other Pyrotechnics. Proceedings of the 13th international pyrotechnic seminar, Grand Junction, CO, July 11~15 1988, 449~469

[30] F.B.Carleton,K.Krallis, F.J.Weinberg. Laser Initiated Ignition of Liquid Propellant. AD-A212 342, 1989

[31] Austin W.Barrows, Brad E.Forch, Richard A.Beyer, Arthur Cohen and Joyce E.Newberry. Laser Ignition in Guns, Hoeitzers and Tanks:the Light Program. AD-A261 049, 1993

[32] T. X. Phuoc, M.P. Mathur, J.M. Ekmann, P. Durbetaki. High-Energy Flame, 1993, 94(4): 349~362

[33] P. P. Ostrowski, J. T. Petrick, E. D. Petrow, T. C. Smith. Ignition Tests with a Laser/Fiber Optic B/KNO_3 Ignite Tube. Proceedings of the 8th International Pyrotechnics Seminar, 1982, 543

[34] R.Craig, W.Gignac, P. Worland and J.Stephenson. Laser Diodes for Pyrotechnic Applications. AIAA93-2359, 1993

[35] D. W. Ewick, L.R. Dosser. S.R. Mcconb and L.P. Brodsky. Feasibility of a Laser Pyrotechnic Device. Proceedings of the

thirteenth international pyrotechnic seminar, 263~277, Grand Junktion,CO, 1988

[36] D.W.Ewick, T.M.Beckman, J.A.Holy and R.Thorpe. Ignition of HMX Using Low Energy Laser Diodes. Proceedings of the 14th symposium on explosives and pyrotechnics. Franklin Research Center Philadelphia PA. 1990, 2-1~2-17

[37] D. W. Ewick, Beckman, T. M.. Ignition Testing of Low-Energy Laser Diode Ignited Components. DE90009968/HDM, 1990

[38] D. W. Ewick. Finite Difference Model for Laser Diode Ignited Components. Proceedings of the Fifteenth International Pyrotechnic Seminar. 1990, 277~295

[39] D.W.Ewick, T. M. Beckman, L. R. Dosser, D. P. Kramer. Development of Laser Diode Ignited CP Detonators, DE92003988/HDM, 1991

[40] D. W. Ewick, J. A. Graham, J. D. Hawley. Laser Diode Initiated Detonators for Space Applications, In NASA. Stennis Space Center, the First NASA Aerospace Pyrotechnic Systems Workshop, 247 ~ 256. N93-20147

[41] D.W. Ewick. Improved 2-D Finite Difference Model for Laser Diode Ignited Components. Proceedings of the 18th international pyrotechnic seminar, 1994, 255~266

[42] S. C. Kunz, F. J. Salas. Diode Laser Ignition of High Explosives and Pyrotechnics. DE88008771/HDM, 1988

[43] D. P.Kramer, Thomas M.Beckman and D. W.Ewick. Development and Evaluation of Hermetic Laser Diode Ignited Pyrotechnic Components. Proceedings of the 15th international pyrotechnic seminar, 1990, 569~579

[44] D. P. Kramer. Hermetic fiber optic-to-metal connection technique.

USP5, 143~531. 1992

[45] D. P. Kramer, T.N. Beckman and E.M. Spangler. Development and Testing of Hermetic Laser-Ignited Energetic Components. AIAA/ASME/ASEE 20th Joint propulsion conference and exhibit June 28~30, 1993/Monterey, CA

[46] D.P.Kramer, A.C. munger and L.R. Dosser. Development of Hermetic Sealing Proceeses for Use in the Fabrication of Laser - Ignited Energetic Components. 31st AIAA/ASME/SAE/ ASEE Joint propulsion conference and exhibit July 10~12, 1995/San Diego, CA

[47] D.P.Kramer, 等. 火工烟火的激光点火. 王凯民译. 火工情报, 1996 (1)

[48] R.G. Jungst, F.J. Dalas, R.D.Watkins and L.Kovacec. Development of Diode Laser-Ignited Pyrotechnic and Explosive Components. Proceedings of the 15th international pyrotechnic seminar 1990, 549-568

[49] R. G. Jungst, F. J. Dalas. Diode Laser Ignition of Explosive and Pyrotechnic Components. DE90012227/HDM, 1990

[50] R.D. Skocypec, A.R.Mahoney, M.W.Glass, R.G.Jungst, N.A.Evans and K.L.Erickson. Modeling Laser Ignition of Explosives and Pyrotechnics: Effects and Characterization of Radiative Transfer. Proceedings of the 15th international pyrotechnic seminar, 1990, 877~894

[51] John A.Merson and F.Jim salas. The Development of Laser Ignited Deflagration-to-Detonation Transition (DDT) Detonators and Pyrotechnic Actuators. DE94011427/HDM

[52] M.W.Glass, J.A.Merson, and F.J.Salas. Modeling Low Energy Laser Ignition of Explosive and Pyrotechnic Powders.

Proceedings of the 18th international pyrotechnics seminar,1992, 321~334

[53] A.D.Rhea. Laser Initiated Ordnance (LIO) Workshop Summary. AIAA92-3557, 1992

[54] Larry C.Liou. Laser Ignition in Liquid Rocket Engines. AIAA 94-2980, 1994

[55] C.Boucher and N.Schulze. Flight Demonstration of Laser Diode Initiated Ordnance. 31AIAA95-2982, 1995

[56] W. J. Kass, L. A. Andrews, C. M. Boney, W. W. Chow, J. W. Clements. Laser Diode Ignition (LDI), DE94006590, 1994

[57] M.Bahrain, M.Fratta and C.Boucher. Laser initiated ordnance system test and integration for NRL's ARTS program. 31th AIAA/ASME/SAE/ASEE Joint propulsion conference and exhibit, July 10-12, 1995/San Diego, CA, AIAA95-2979

[58] C.M.Woods, E.M.Spangler, T.M.Beckman and D.P.Kramer. Development of a laser ignited all secondary explosive DDT detonator, DE92 019340

[59] 邹英华, 孙陶亨. 激光物理学. 北京: 北京大学出版社, 1991

[60] 杨臣华, 梅遂生, 林钧挺. 激光与红外技术手册. 北京: 国防工业出版社, 1990

[61] A.Antonetti et al.. A laser System Producing $5 \times 10^{19} W/cm^2$ at 10 Hz. Appl.Phys. 1997, B65: 197

[62] 项仕标, 项项, 冯长根. 激光对含能材料作用特性分析, 激光与红外, 2002 (3): 233~236

[63] 于永忠. 激光选择性激发化学反应. 火炸药, 1979 (4): 23~40

[64] 马兴孝, 孔繁敖. 激光化学. 合肥: 中国科学技术大学出版社, 1990

[65] M.Von 奥尔曼. 激光束与材料相互作用的物理原理及应用.

漆海滨, 等译. 北京: 科学出版社, 1994

[66] 章冠人, 陈大年. 凝聚炸药起爆动力学. 北京: 国防工业出版社, 1991

[67] 陈福梅. 火工品原理与设计. 北京: 兵器工业出版社, 1990

[68] 蔡继业, 周士康, 李书涛. 激光与化学动力学. 合肥: 安徽教育出版社, 1992

[69] F.A.威廉斯 , 燃烧理论. 庄逢辰, 杨本濂译. 北京: 科学出版社, 1990

[70] Ping Ling and Charles A.. Wight. Laser Photodissociation and Thermal Pyrolysis of Energetic Polymers. J. Phys. Chem. B. 1997, 101(12): 2126~2131

[71] C. L. Larry, E. C. Dennis Laser Ignition Application in a Space Experiment. OE/LASE '93 conference sponsored by the society of photo-optical instrumentation engineers Hiton/Airport Marriott Los Angeles. California, January 19~20,1993

[72] W. M. Andrzej, W. M. C.S. Rosario Photochemical Ignition Studies I. Laser Ignition of Flowing Premixed Gases. AD-A153 048, 1985

[73] Henric Oestmark and Nils Roman. Laser ignition of pyrotechnic mixtures: ignition mechanisms. J. Appl. Phys. 1993, 73 (4): 1993~2003

[74] G. Bekefi, 等. 激光等离子体原理. 庄国良, 褚成译.上海: 上海科学技术出版社, 1981

[75] 项仕标, 冯长根, 王丽琼, 等. 激光二极管点火机理研究. 红外与激光工程, 2003, (2): 141~147

[76] 冯长根, 项仕标, 王丽琼, 等. 激光强度对含能材料点火的影响. 应用激光, 1999 (4): 153～155

[77] G. H. B. 汤普森. 半导体激光器件物理学. 周元庆, 王清正, 张文芳, 等译. 北京: 电子工业出版社, 1989

[78] 彭吉虎, 吴伯瑜. 光纤技术及应用. 北京: 北京理工大学出版社, 1995

[79] 项仕标, 冯长根. 光纤的能量传输特性及其应用. 光学技术, 2001 (3): 341~342

[80] 项仕标, 冯长根, 陈朗, 等. 小功率二极管点火实验. 激光与红外, 1999 (3): 154~156

[81] 严楠. 感度试验设计方法的若干研究. [博士学位论文]. 北京: 北京理工大学, 1996

[82] 张慧卿, 严楠, 华光. 掺杂物对药剂激光点火感度和延迟时间的影响. 含能材料, 2001(4): 176~178

[83] 徐浩星, 王桂兰, 贾淑霞, 等. 丁羟推进剂激光点火延迟时间研究. 固体火箭技术, 2000(1): 40~43

[84] 邢曦, 李疏芬. 固体推进剂光学参数对激光点火延迟时间的影响. 固体火箭技术, 2002(3): 34~40

[85] A. Cohen, K. Mc Nesby, S. Bilyk and A. Kotlar. Optical properties of solid propellants. U.S. Army Reserch Laboratory, Aberdeen Proving Ground, MD, 1993

[86] V. I. Aleksandrov. Measurement of optical properties of some explosives. Expiosives and Propellants, 1975(3): 67~68

[87] 项仕标, 冯长根, 华光, 等. 粒度对激光感度的影响分析. 兵工学报, 2000 (1): 80~82

[88] 蔡履中, 王成彦. 光学. 济南: 山东大学出版社, 1992

[89] Xiang Shibiao, Chen Lang, Feng Changgen. Analysis on the Photochemical Mechanism of Laser Ignition. Theory and Practice of Materials, ,China Science and Technology Press, 2001, 578 ~ 584

[90] 项仕标, 项顼, 华光, 等. 激光对含能材料的热作用与光化学作用比较. 应用激光, 2004 (1): 27~30

[91] Wang Liqiong, Xiang Shibiao, Feng Changgen. Numerical calculation of laser diode ignition. Theory and Practice of Materials, China Science and Technology Press, 2001, 561 ~ 568

[92] A. D. Rhea. Laser Diode Ordnance Design. N93 – 20140 / 8 / HDM, 1993

[93] F.A. Al-Ramadhan, I.U. Haq, M.M. Chaudhri. Low-Energy Laser Ignition of Magnesium-Teflon-Viton Compositions, Journal of Physics D: Applied Physics, 1993, 26(5): 880 ~ 887

[94] Brad E. Forch, Austin W.Battows, Richatd A.Beyer, Joyce E.Newberry and John J.O'Reilly. Trends Observed in the Laser Ignition of Blackpowder and JA2 Propellant. AD-A277904, 1994

[95] John C. Chen, Masayuki Taniguchi, Kiyoshi Narato, Ito, Kazuyuki. Laser Ignition of Pulverized Coals, Combustion and Flame, 1994, 97(1): 107~117

[96] F.Fendell, J.M.tchell, R.McGregor and M.Sheffield. Laser - Initiated Conical Detonation Wave for Supersonic Combustion.II. AD-A280 985, 1993

[97] J.Callaghan and G.Krisilas. Laser Ordnance Initiation System Analysis. AIAA93-2362, 1993

[98] J. D. Callaghan, S. Tindol. Laser Diode Ignition Characteristics of Zirconium Potassium Perchlorate (ZPP), N93-20145/7/HDM, 1993, 215~222

[99] J.Richard Ward.et al. Laser Ignition of Pyrotechnic Compositions Being Tested as Drag-reducing Fumers. AD-A765 415, 1973

[100] Peter P.Ostrowski. Laser Ignition of Solid Propellant

Formulations. AD-A073316, 1979

[101] R. A. Beyer, L. M. Chang, B.E.Forch. Laser Ignition of Propellants in Closed Chambers. ARL-TR-1055, 1996

[102] E. S. Robert, M.T. Wayne Prompt Laser Ignition and Transition to Detonation in a Secondary Explosive. DE - AC04 - 94AL85000, 1994

[103] S.J. Ritchie,S.T.Thynell, K.K.Kuo. Modeling and Experiments of Laser-Induced Ignition of Nitramine Propellants. AIAA-95-2862, 1995

[104] T. J. Blachowski, Peter Stoddard. Laser Initiation Systems Meeting Current and Future Department of Defense Specification Requirements. AIAA 93-2363, 1993

[105] 张秋芳, 黄强, 梁月玫,等.固体火箭发动机激光点火装置研究. 固体火箭技术, 2001(2): 16~18

[106] 王浩, 黄明, 邵志坚. 火炮中激光多点点火技术试验研究. 兵工学报, 2000 (2): 101 ~ 104

[107] 张炜, 朱慧, 田德余. 含能材料分子结构与感度的相关性. 含能材料, 1998 (3): 134 ~ 138

[108] T. W. Anderson. "Staircase" Method of Sensitivity Testing. Princenton: Statiscal Research Group, NOR No. 6546, 1946

[109] M. S. Bartlett. A modified Probit technique for small Probability. Journal of the Royal Statistical Society, Suppl., 1946 (8): 113~117

[110] W. J. Dixson, A.M. Mond. A Method for Obtaining and Analyzing Sensitivity Data. Journal of American Association, 1948 (43): 109~126

[111] 严楠, 蔡瑞娇. 序贯感度试验的设计原理. 火工品, 2001 (2): 40~44

[112] 严楠, 蔡瑞娇, 田玉斌. 计算机模拟升降法试验的研究. 爆炸与冲击, 1998 (4): 359~364

[113] K. E. Seymour. One shot sensitivity test for extreme percentage points. Proceeding of the 19th conference on the design of experiments in army research development and testing, 1974

[114] G. B. Wetherill. Sequential estimation of quantal response curves. Journal of royal statistical society B, 1963 (25): 1 ~ 48

[115] Wu C F Jeff. Efficient sequential designs with binary data. Journal of American statistical association, 1985 (8): 974 ~ 984

[116] 钟海芳, 田煜斌, 蔡瑞娇. 感度变量分布类型. 火工品, 1998 (3): 1~5

[117] 田煜斌, 蔡瑞娇. Bayes 方法在火工品响应曲线中的应用. 北京理工大学学报, 1998 (2): 88~92

[118] 汪佩兰, 李桂茗. 火工与烟火安全技术. 北京: 北京理工大学出版社, 1996